LE SERMENT
DES CATACOMBES

ODILE WEULERSSE

LE SERMENT
DES CATACOMBES

Illustrations :
Yves Beaujard

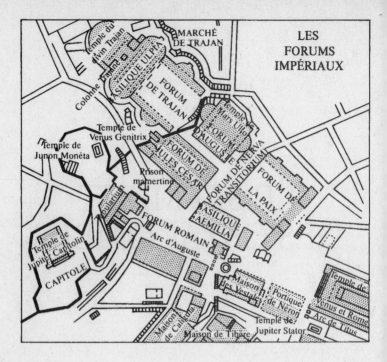

LES
FORUMS
IMPÉRIAUX

MARCHÉ
DE TRAJAN

Temple du
divin Trajan

BASILIQUE ULPIA

Colonne Trajane

FORUM
DE TRAJAN

Temple de
Mars Ultor

FORUM
D'AUGUSTE

Temple de
Venus Genitrix

Temple de
Junon Monéta

FORUM DE
JULES CÉSAR

FORUM DE NERVA
TRANSITORIUM

FORUM DE
LA PAIX

Prison
mamertine

Tabularium

BASILIQUE
AEMILIA

FORUM ROMAIN

Arc d'Auguste

Temple de
Jupiter Capitolin

CAPITOLE

Maison
des Vestales

Portique
de Néron

Temple de
Venus et Rome

Maison
de Caligula

Temple de
Jupiter Stator

Arc de Titus

Maison de Tibère

À ma mère.

L'Empire romain IIᵉ siècle après Jésus-Christ

Rome IIᵉ siècle après Jésus-Christ

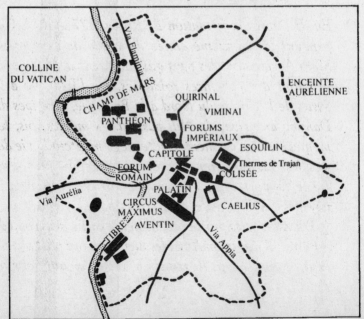

En 930 après la fondation de Rome (177 après J.-C.), pendant la quinzième année du règne de l'empereur Marc Aurèle, tous les pays qui entourent la Méditerranée sont des provinces romaines. De l'Espagne à la Syrie, de l'Afrique du Nord à la Bretagne, des rives du Danube aux rives du Nil, partout les mêmes lois, les mêmes armées, les mêmes cultes réglementent la vie des peuples. La paix romaine, qui dure depuis plus d'un siècle, a permis le développement des routes, des voyages, du commerce, de la richesse.

Pourtant cette prospérité insolente cache beaucoup de misère et d'injustice. Aussi les dieux qui ont fait la grandeur de Rome sont-ils remis en cause par une religion

9

nouvelle, une religion venue d'Orient, mal connue et mystérieuse, fondée par un certain Jésus que ses fidèles appellent le Christ, c'est-à-dire le Messie.

C'est alors qu'à Lugdunum, la capitale des Trois Gaules, la population se tourne avec colère contre la petite communauté des chrétiens. Ils sont accusés d'irriter les dieux de l'Empire et d'attirer la colère du Ciel.

Lugdunum (Lyon) IIe siècle après Jésus-Christ

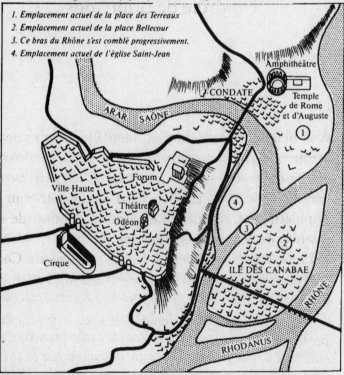

1. Emplacement actuel de la place des Terreaux
2. Emplacement actuel de la place Bellecour
3. Ce bras du Rhône s'est comblé progressivement.
4. Emplacement actuel de l'église Saint-Jean

Amphithéâtre
CONDATE
Temple de Rome et d'Auguste
ARAR SAÔNE
Forum
Ville Haute
Théâtre
Odéon
Cirque
ILE DES CANABAE
RHÔNE
RHODANUS

1

Un drôle de printemps

À la huitième heure du jour, profitant de la chaleur printanière, la foule s'agglutine devant une maison étroite du quartier des bateliers de la Saône. C'est la maison de Sacrovir, un riche fabricant de cuir dont la popularité est grande à Lugdunum[1] à cause de sa gaieté et de ses brillants discours.

Luna, la belle esclave qui sert à la taverne du Coq, se fraie difficilement un passage jusqu'à Marcurus, un jeune puisatier.

« Que se passe-t-il ? demande-t-elle. Il n'y a plus personne à la taverne.

---
1. Lyon.

— Un événement incroyable, répond le jeune homme. Sacrovir a retrouvé sa nièce.

— Quelle nièce ?

— La fille de sa sœur. Il l'a découverte par hasard, sur le port de Massilia[1].

— On la vendait comme esclave, précise une femme.

— Il l'a payée mille sesterces, ajoute un homme. Heureusement qu'il est riche. »

Luna s'étonne :

« Il ne la connaissait pas ?

— Non. Il l'a reconnue parce qu'elle ressemble à sa mère quand elle était jeune.

— Ce qui est encore plus prodigieux, ajoute une femme, c'est que Bibulia, la femme de Sacrovir, a rêvé d'elle sans l'avoir jamais vue. Elle était entourée de corbeaux, d'innombrables corbeaux comme ceux qui se sont posés sur le rocher de Lugdunum le jour de sa fondation.

— Comme je voudrais la voir ! » murmure Luna.

La serveuse du Coq n'est pas la seule à vouloir découvrir celle qu'un si curieux hasard a ramenée dans la capitale des Trois Gaules. Des voix s'élèvent de tous côtés :

« Sacrovir ! On veut voir ta nièce !

— La nièce ! La nièce ! La nièce ! » scandent les enfants qui ont grimpé sur le toit de tuiles de bois.

---

1. Marseille.

Enfin apparaît, sur le seuil de la porte, l'imposante silhouette de Sacrovir. Il tient par la main une charmante fille d'une quinzaine d'années, les cheveux noués en tresses autour de la tête, de larges yeux pervenche intimidés par tout ce tumulte. Sacrovir la fait grimper sur l'échelle de bois qui conduit au premier étage de sa maison, afin que tous puissent l'admirer, puis déclare de sa voix de stentor :

« Amis, par Jupiter Très Bon et Très Grand qui l'a placée sur mon chemin, je vous présente la plus jolie nièce de l'empire. Elle s'appelle Toutilla.

— Vive Toutilla ! s'écrient les enfants en tapant avec leurs pieds et leurs mains sur les tuiles de bois.

— Silence ! » s'écrie Sacrovir.

Puis lorsque le calme est revenu dans l'assistance, il explique :

« Toutilla est la fille de ma sœur, morte l'an passé d'une terrible maladie. Le père de la petite a été écrasé dans une mine de fer. Il ne lui reste donc plus, pauvre orpheline, que la tendresse de son oncle et de sa tante. »

Sacrovir s'arrête un moment pour laisser l'assistance s'attendrir, puis reprend avec emphase :

« C'est pourquoi je vous demande à tous de la protéger et de l'aimer comme votre fille. Que la population de la capitale des Gaules soit pour elle une immense famille où elle ne rencontre que des regards amis. »

Les applaudissements et les cris fusent de tous côtés. Certains, cependant, sont pressés de boire de la bière. Une voix impatiente s'élève :

« Tu as suffisamment parlé, Sacrovir. Maintenant donne-nous de la cervoise !

— De la cervoise et du vin », reprennent aussitôt cent autres voix.

Le fabricant de cuir ordonne majestueusement :

« Femme ! Sers à boire ! »

Bibulia, une jeune femme de vingt-cinq ans, au visage rond, portant les cheveux blonds des filles de Lutèce, apparaît aussitôt. Elle tire une table pour la mettre dans la rue et apporte des amphores et des gobelets afin que chacun puisse boire. L'assistance se presse et se bouscule.

Luna s'approche de l'échelle de bois et s'adresse à Toutilla :

« Je te souhaite la bienvenue. J'espère que nous serons amies. Tu pourras me trouver tous les jours à la taverne du Coq, tout près d'ici. »

Toutilla n'a pas le temps de répondre car une femme, les cheveux décoiffés, le manteau de travers, arrive en poussant de grands cris :

« On l'a empoisonné ! On a empoisonné mon petit ! Il est devenu tout rouge, et puis tout jaune, et maintenant il est tout blanc ! »

La femme s'avance, hagarde, vers la maison de Sacrovir, tandis que la foule s'écarte sur son passage.

Soudain, elle aperçoit Marcurus et s'arrête en le pointant du doigt :

« C'est lui !

— Moi ? fait le jeune homme stupéfait.

— Oui, toi, le puisatier. Tu as empoisonné l'eau, je le sais.

— Tu divagues », répond Marcurus.

La femme insiste :

« Je t'ai vu faire le signe de la croix sur la margelle. C'est un maléfice qui a contaminé l'eau.

— C'est absurde ! » répète Marcurus.

Alors la femme se redresse et l'interroge avec hauteur :

« Tu es chrétien ou tu n'es pas chrétien ?

— Je suis chrétien, mais je n'ai jamais empoisonné de puits.

— Il a avoué, s'écrie la femme triomphante. Il a avoué. »

Puis, tendant à nouveau un doigt accusateur, elle ajoute :

« Ce sont les chrétiens la cause de tous nos maux. C'est à cause d'eux que nous n'avons pas de pluie depuis trois mois. Ils ont provoqué par leur impiété la colère du Ciel. »

Luna est devenue très pâle. Les sourires se sont effacés des visages de l'assistance, et des groupes se forment pour discuter.

« Elle a raison, s'écrie un homme. Les chrétiens sont responsables de ce printemps maudit.

— Descends et rentre à la maison », dit à voix basse Sacrovir à sa nièce. Puis, s'adressant à tous, il déclare :

« Amis, ne laissez pas la colère ternir ce jour de joie. Je vous remercie tous d'être venus. Maintenant la petite va rentrer se reposer car elle est fatiguée après notre long voyage. »

Profitant de cette diversion Marcurus s'est éclipsé discrètement. Puis la foule se disperse lentement, discutant avec animation.

*

Toutilla arpente l'étroite salle commune, sobrement meublée d'une table, de tabourets, d'un coffre, d'un lit et d'un fauteuil en osier. Elle agite dans sa tête des interrogations auxquelles elle ne trouve pas de réponse. Pourquoi a-t-on reproché à Marcurus d'être chrétien ? Ceux-ci sont-ils menacés dans la capitale des Gaules ? Quelles sont les opinions de son oncle et de sa tante ? Il lui tarde, pour chasser ses inquiétudes, de retrouver des frères qui croient au Christ. Ses amis, de l'Église de Massilia, lui ont confié une lettre à remettre à Zénodore, le célèbre médecin de Lugdunum.

Aussi, lorsque Sacrovir rentre dans la maison après avoir constaté que le quai de la Saône était redevenu paisible, Toutilla lui demande :

« Sais-tu où demeure un médecin nommé Zéno-dore ? »

Les yeux rapides de Sacrovir dévisagent sa nièce avec attention.

« Qui t'a parlé de lui ? » dit-il sèchement.

Toutilla répond avec prudence :

« Sa réputation est venue jusqu'à Massilia. »

Sacrovir prend un ton sévère :

« Je ne veux pas avoir de relation avec Zénodore. Et je ne veux pas non plus que toi, ma nièce, que je viens de racheter fort cher, tu aies affaire à lui.

— Mais pourquoi ? s'étonne Toutilla.

— Parce qu'il est chrétien.

— Je ne comprends pas ton explication, constate Toutilla.

— Je ne te demande pas de comprendre, mais d'obéir. Ne fréquente pas Zénodore. »

Bibulia, pour atténuer la sévérité de son mari, s'approche de Toutilla, passe une main sur ses nattes brunes et explique :

« Cette année, nous avons un drôle de printemps à Lugdunum : trois mois sans une goutte de pluie. »

Sacrovir s'installe dans le fauteuil d'osier et se sert un bol de cervoise.

« Sache, ma petite, qu'ici je suis un fabricant de cuir respecté et qui fait de très bonnes affaires. Mon ambition est de posséder un jour quatre cent mille sesterces et de pouvoir porter l'anneau d'or à la main gauche. »

Des rires se font entendre derrière la porte d'entrée restée ouverte, et Toutilla voit s'éloigner deux jeunes gens, un grand maigre et un petit gros, qui chantonnent nonchalamment :

« L'anneau d'or à la main gauche, l'anneau d'or à la main gauche, l'aura-t-il, l'aura-t-il pas ?

— Ce sont encore ces deux "fouines"! s'exclame Bibulia. Combien de temps faudra-t-il supporter leurs insolences ?

— Qui sont-ils ? demande Toutilla.

— Je ne sais pas leurs noms. Tout le monde ici les appelle les "fouines", car ils se mêlent de tout avec une rare impudence.

— Ils sont curieux, c'est de leur âge », dit Sacrovir en se relevant de son fauteuil.

Puis il s'approche de la cheminée qu'agrémentent de beaux chenets portant des têtes de bélier. Au-dessus du chambranle est posée une niche de pierre à l'intérieur de laquelle se trouvent deux statuettes. Elles représentent des jeunes gens aux mains pleines de fruits.

« Viens que je te présente aux dieux de la maison », dit-il.

Lorsque sa nièce l'a rejoint près de la cheminée, Bibulia apporte les offrandes que Sacrovir présente aux dieux domestiques :

« Ô humbles Lares, mes Lares, je vous implore avec un grain d'encens, un gâteau de farine et de miel et une couronne de branchage, pour que vous protégiez ma nièce Toutilla. Qu'elle connaisse le bonheur dans cette maison, qu'elle nous donne à tous de la joie, et qu'elle trouve pour mari un citoyen libre et bien riche. »

À nouveau un homme se présente dans l'embrasure de la porte.

« Que veux-tu ? grogne Sacrovir. Ne peut-on me laisser tranquille !

— Sacrovir, salut. Mon maître Caius Julius Camulus te demande de passer le voir.

— Maintenant ? s'exclame Sacrovir indigné. Le jour où je fête ma nièce !

— Il dit que c'est urgent. »

Sacrovir soupire :

« Le sort d'un affranchi est impitoyable ! Femme, apporte-moi mon manteau. »

Toutilla demande à Bibulia à voix basse :

« Qui est Caius Julius Camulus ? »

Bibulia, plus bavarde encore que son mari, répond d'une voix qui sonne comme un grelot :

« C'était le maître de Sacrovir quand il était esclave et qui l'a affranchi il y a six ans. Maintenant c'est son patron à qui Sacrovir doit toujours respect et obéissance. En réalité, Camulus a tout le temps besoin de ses excellents conseils et le fait appeler à toute heure du jour. »

S'apercevant que la large silhouette du fabricant de cuir franchit le seuil tête nue, Bibulia s'écrie :

« Ton bonnet ! »

Et elle lui tend le bonnet rond que doivent porter les affranchis pour se distinguer des hommes libres.

*

Sacrovir traverse le quai et emprunte le pont sur la Saône qui se trouve juste en face de sa maison. De l'autre côté du fleuve se trouve le quartier de Condate, où se rassemblent les représentants de toutes les cités des Gaules. La rue est étroite et monte en pente raide entre les maisons basses qui se pressent au flanc de la falaise. Bientôt Sacrovir voit s'élever les murs de l'amphithéâtre, qu'il contourne pour arriver sur l'immense place du temple de Rome et d'Auguste. Là, il s'arrête un moment pour reprendre son souffle, et admirer une fois de plus la majesté du lieu. Au centre, se trouve un gigantesque autel de marbre, entouré par deux hautes colonnes qui portent des statues de femmes aux grandes ailes représentant des victoires. Plus loin s'alignent soixante statues qui représentent les soixante peuples des Gaules. Sacrovir se sent heureux et fier que son patron soit le flamine, c'est-à-dire le grand prêtre du temple de Rome et d'Auguste, l'homme le plus considérable des provinces gauloises. Il se sent aussi heureux et fier d'être son meilleur conseiller.

La maison de Caius Julius Camulus est située derrière le temple. Dans la cour intérieure, dite l'atrium,

Camulus pose devant un sculpteur. Il se tient immobile, la toge rejetée dans le dos, un talon légèrement relevé, la main gauche tendue en avant, les cheveux courts, le visage rasé.

« Sacrovir, salut ! Dis-moi si j'ai raison de choisir la position de la statue du divin César plutôt que celle du divin Auguste ?

— Est-ce pour cela que tu m'as fait venir d'urgence ? demande Sacrovir interloqué.

— Non, mais réponds-moi vite, je te prie, car je suis fort inquiet. »

Sacrovir réfléchit un instant et répond d'un ton grave :

« Tu as bien fait, Camulus, car c'est à César que nous devons le bonheur de faire partie de l'empire de Rome.

— Ce marbre te paraît-il suffisamment fin ?

— Il est digne d'un empereur. »

Camulus est enchanté.

« J'offrirai cette statue à la ville de Lugdunum pour la prochaine fête de Rome et d'Auguste. »

Puis il fait signe au sculpteur que la séance de pose est terminée et s'approche de son affranchi.

« Maintenant que ma fortune s'élève à plus d'un million de sesterces, j'ai l'ambition de devenir sénateur romain.

— Est-ce pour me signifier cela que tu m'as fait venir d'urgence ? s'étonne à nouveau Sacrovir.

— Non. Je t'ai fait venir car je veux divorcer.

— Tout de suite ?

— Immédiatement. Je veux me remarier avec une femme dont la famille m'aide à devenir sénateur.

— La connais-tu ?

— Pas encore. »

Puis, s'adressant à un esclave, il ajoute :

« Va chercher Sélané, ma femme, et dis-lui de venir en courant. »

Au fond de la cour de l'atrium apparaît un garçon d'une quinzaine d'années qui porte une ébouriffante chevelure rousse. Ses habits sont de couleur fort recherchée : une tunique vert pâle, une ceinture parme et des braies couleur de myrte. Il tient à la main la tête et la peau d'un sanglier récemment tué. En voyant son père et Sacrovir deviser fort sérieusement, il s'avance à pas feutrés et, d'un geste rapide, jette la peau de bête sur le dos de l'affranchi. En sentant le museau du sanglier lui caresser la joue, Sacrovir pousse un cri et Gédémo éclate de rire :

« Farce ! Bonne farce !

— Que dis-tu ? demande son père.

— Bonne farce, répète Gédémo. Craindre un sanglier mort !

— Voilà comment il s'exprime ! soupire le flamine consterné. Comme un enfant tout petit que seuls ses chiens et ses chevaux peuvent comprendre.

— Tu comprends aussi », répond Gédémo en tournant autour de la statue de son père et en s'amusant à prendre la célèbre pose du divin Jules.

Camulus est exaspéré par la conduite de son fils :

« Crois-tu pouvoir passer ta vie à faire des farces, à tuer des sangliers et à courir au cirque ? Ignores-tu qu'on ne peut réussir qu'en pratiquant l'éloquence ?

— Inutile », fait Gédémo.

Camulus s'énerve :

« Que feras-tu sur le forum si tu es incapable de défendre tes amis, tes affranchis et toi-même ? Si tu ne sais pas enflammer les cœurs par le rythme de tes phrases et étonner les oreilles par la musique de tes mots ?

— Ridicule ! » commente Gédémo.

Le sang de Camulus bout de colère :

« Si tu continues comme cela, tu finiras gladiateur. »

Gédémo, stupéfait, dévisage son père.

« Oui, gladiateur, répète le flamine. Ce métier infâme réservé aux esclaves et à ceux qui ne méritent pas la liberté. »

Sacrovir s'apprête à calmer la dispute lorsque la femme du flamine s'avance dans l'atrium.

« Ah ! te voilà, Sélané, dit Camulus. Je t'ai fait venir pour te signifier que je veux divorcer.

— Impossible ! s'exclame Gédémo qui ne quitte pas des yeux le visage peiné de sa mère.

— Je veux épouser une Romaine qui m'aide à devenir sénateur, explique Camulus. Sacrovir et mon sculpteur, Cornélius, nous serviront de témoins. Maintenant je te dis : Par Jupiter Très Bon et Très Grand, reprends ton bien. »

Sélané donne la réponse rituelle :

« Et toi, garde le tien. »

Un bref silence tombe sur la cour de l'atrium tandis que des esclaves s'affairent à allumer les lampes.

« Quand tu partiras, ajoute Camulus, rends-moi les clefs de la maison.

— Mauvaise farce ! » murmure Gédémo, qui, pour cacher sa tristesse, quitte rapidement l'atrium.

*

En l'absence de son oncle, Toutilla n'a pas de mal à trouver l'adresse de Zénodore, le médecin le plus connu de la ville. D'un pas léger, son capuchon sur la tête, elle traverse le Rhône sur le pont de bois qui conduit à l'île de Canabae. Au nord de l'île, les entrepôts déserts forment une grande masse sombre. Au sud, au contraire, des lumières dansantes apparaissent aux fenêtres dans les beaux édifices à un étage qui s'étendent le long du fleuve. C'est là qu'habite le médecin.

Les mosaïques de l'atrium représentent des poissons et des béliers. Au milieu de ces symboles chrétiens, après l'émotion du lamentable tumulte devant la maison de son oncle, Toutilla retrouve progressivement calme et sérénité.

Zénodore arrive enfin, long homme maigre dont la figure brune est illuminée par des yeux pétillants d'intelligence.

« Le Christ est ressuscité, dit Toutilla.

— Tu dis la vérité. Le Christ est ressuscité », répond son hôte.

Puis il ajoute, en lui désignant un fauteuil d'osier :

« Assieds-toi, sœur, et dis-moi ce qui t'amène. »

Toutilla sort de la poche de son manteau une tablette de cire :

« Je t'apporte une lettre des frères de l'Église de Massilia. Ils t'envoient de bonnes nouvelles.

— Je lirai cette lettre à nos frères, lors de notre prochain repas. Mais parle-moi de toi : que fais-tu à Lugdunum ?

— J'ai été rachetée à Massilia par mon oncle, le jour de la vente aux esclaves. Maintenant j'habite avec lui et ma tante. »

Le souvenir des pénibles événements de l'après-midi lui revient à la mémoire.

« Que se passe-t-il ici ? On a accusé un puisatier d'être chrétien.

— C'est une chose illogique et absurde. Il ne pleut pas depuis trois mois et on accuse les chrétiens ! »

Zénodore se lève et se met à arpenter l'atrium :

« C'est toujours la même histoire ! Dès que le Tibre inonde Rome, dès qu'il survient une famine, une épidémie de peste, une sécheresse, chacun crie aussitôt : C'est la faute des chrétiens ! À mort les chrétiens ! »

Toutilla l'écoute avec stupéfaction.

« Veux-tu dire que s'il ne pleut pas, nous serons tous en danger ? »

Zénodore revient s'asseoir dans son fauteuil et dit gravement :

« Nul ne connaît le jour ni l'heure où le Seigneur lui demandera de souffrir à cause de lui. »

Puis, avec un grand sourire, il ajoute :

« Tu y penseras le jour venu. Dis-moi plutôt qui est ton oncle.

— Caius Julius Sacrovir, un affranchi du flamine. Un homme très bon.

— Très bon en effet. Je le connais bien et j'aimais bavarder avec lui. Mais avec ce drôle de printemps, il ne me parle plus. Il a peur de fréquenter un chrétien.

— Je sais, murmure tristement Toutilla. Et moi, qu'est-ce que je vais devenir, alors ? »

Zénodore se met à rire avec l'insouciance de celui qui ignore l'inquiétude et la crainte.

« Ne te fais pas de souci, Toutilla. Tes frères et tes sœurs t'aideront. Surtout, fais confiance à la miséricorde de Dieu. Jamais il n'abandonne ses enfants. »

*

La nuit est tombée lorsque Toutilla sort de la maison de Zénodore. En se dirigeant vers le Rhône, elle entend les pas de deux jeunes gens qui marchent derrière elle en pouffant et en chuchotant. En se retournant, elle reconnaît les deux "fouines".

Lorsque Toutilla tourne vers la gauche pour s'engager sur le pont, les jeunes gens continuent à la suivre. Ils la suivent encore sur le chemin qui relie les nautes du Rhône aux nautes de la Saône, les deux quartiers des bateliers.

L'endroit est abandonné et désert. La colline du forum[1] tombe abruptement près du fleuve, et sur une bande marécageuse un petit chemin ondoie entre des tombes et des saules. Le silence est absolu.

Soudain, le garçon long et maigre s'approche d'elle et l'attrape par les épaules.

« Que faisais-tu chez Zénodore ?

— Laisse-moi ! s'exclame Toutilla. Je n'ai rien à te dire.

— Tu partageais ses petits mystères infâmes !

— Laisse-moi tranquille, insiste Toutilla qui tente de se dégager. Je dois rentrer chez moi.

— Menteuse ! Tu cours la nuit pour empoisonner les puits avec une croix. »

Le deuxième jeune homme s'approche du Rhône pour ramasser de la boue sur le rivage. Puis il revient en barbouiller le visage de Toutilla.

---

1. Cette colline de Lyon s'appelle maintenant Fourvière, qui à l'origine signifiait : *forum vetus,* « le vieux forum ».

« Regarde à quoi cela ressemble, une chrétienne ! Un crapaud est plus joli à voir.

— J'irai voir le juge, déclare Toutilla indignée. Il y a des lois dans l'empire romain pour faire respecter la justice.

— Il y a aussi des gens qui ne croient pas aux dieux. Ce sont des impies. Et qui sont ces impies dans l'empire romain ? Les chrétiens, bien sûr. »

Et le jeune homme accompagne ses paroles d'une gifle monumentale qui jette Toutilla à terre.

Les deux « fouines » s'amusent à la regarder tituber en se relevant, lorsqu'on entend :

« Vas-y, Caton, vas-y. »

Aussitôt surgit un chien puissant et trapu, aux fortes mâchoires et au museau écrasé, qui se précipite sur le mollet du petit jeune homme. L'autre s'enfuit immédiatement.

« Farce ! Bonne farce ! »

Gédémo apparaît à son tour. Lorsqu'il découvre le visage barbouillé de Toutilla il se met à rire et enlève sa tunique vert pâle. Il va la tremper dans le fleuve puis revient laver la boue qui rend la jeune fille méconnaissable.

Toujours tenu fermement par Caton, la « fouine » se plaint :

« Ton chien me fait mal.

— Caton, laisse-le », dit Gédémo sans même jeter un coup d'œil au jeune homme qui s'en va en boitant.

Toutilla examine attentivement ce garçon vigoureux qui lui nettoie si doucement la figure. Il a une expression enfantine et énergique à la fois et Toutilla sent monter vers lui une grande tendresse dans son cœur.

Lorsque Gédémo a terminé la toilette de l'inconnue, il déclare :

« Petite lumière dans tes yeux... Petite flamme. »

Puis il ajoute :

« Ce soir, tristesse. Divorce.

— Je suis triste aussi, répond Toutilla. On persécute mes frères chrétiens.

— Oh ! les dieux... trop compliqués. Demain, je cours. Au cirque. Tu viendras ? »

Quoique Toutilla n'aille jamais à ces jeux violents déconseillés aux chrétiens, elle s'entend répondre :

« Je viendrai. »

Gédémo a un sourire désarmant :

« Bonheur ! dit-il. Viens. »

Les deux silhouettes s'éloignent lentement entre les saules tandis que Caton débusque quelques poules d'eau qui s'enfuient en caquetant.

2

Les dieux
sont courroucés

À l'aube du jour de la Lune, Sacrovir, Bibulia et Toutilla franchissent la porte d'Aquitaine. Bibulia sent la
lavande et ses colliers, bracelets et boucles d'oreilles
tintinnabulent comme un troupeau de chèvres. Il y a
beaucoup de monde derrière les murailles de la ville
pour se rendre au cirque.

Des femmes offrent des couronnes de feuilles que
chacun met sur sa tête. Des groupes parient sur le
résultat des courses. Sacrovir se tourne vers sa nièce :

« Paries-tu pour les Verts, les Rouges, les Bleus ou
les Blancs ?

— Je parie pour Gédémo. »
Sacrovir la regarde d'un air surpris.

« Comment le connais-tu ?

— Je l'ai rencontré hier, bredouille Toutilla.

— Il t'a certainement fait une farce, dit Sacrovir en riant. Mais je n'ai guère confiance en lui. Aujourd'hui c'est sa première course officielle. Crois-tu que les Verts gagneront, Bibulia ? »

Bibulia prend un air concentré.

« Par Lug, dieu du soleil levant, je les ferai gagner ! »

Le cirque dessine un bel ovale sur lequel sont installés les gradins. La piste est en épingle à cheveux. Au centre, la "spina", une sorte de long mur, est ornée de statues et de fontaines. À chacune de ses extrémités se dresse une borne autour de laquelle les chars doivent tourner. Dans le brouhaha général, un homme fait sauter son singe au-dessus d'une échelle.

Le silence se fait dans le cirque lorsque Caius Julius Camulus entre dans la loge d'apparat, suivi par quelques hauts fonctionnaires. Aussitôt chacun se prépare pour la course tant attendue. Des palefreniers, aux tuniques rouges, bleues, vertes ou blanches, selon l'écurie à laquelle ils appartiennent, conduisent les chars derrière les barrières de départ. Un crieur annonce à haute voix :

« La course de chars est offerte par le flamine impérial, grand prêtre du temple de Rome et d'Auguste, pour le divertissement du dieu Mars. Les auriges, qui conduisent les chars, sont les suivants : Ballario pour les Rouges, Communis pour les Bleus, Peculiaris pour les Blancs, et, pour la première fois, Gédémo défendra les Verts. »

De toutes parts, on crie le nom des auriges, tandis que Bibulia serre dans ses mains une tablette d'envoûtement gravée sur une lame de plomb et marmonne :

« Dieux infernaux, faites perdre les Rouges, les Bleus et les Blancs ! Que la roue de leur char éclate en morceaux et que les cochers tombent morts sur la piste.

— Que demandes-tu là ? s'indigne Toutilla.

— La protection des dieux pour gagner notre pari, explique Bibulia avec gravité.

— C'est abominable !

— Préfères-tu voir Gédémo renversé par un autre char et traîné dans la poussière ? »

Toutilla ne sait que répondre et rougit. Pour ne plus penser à Gédémo, elle s'intéresse aux chevaux. Des valets tressent, en nattes souples, leur crinière pleine de perles, puis relèvent leur queue par un nœud très serré et ajustent harnais et plumes de couleur.

Enfin, dans un grand tumulte de cris et d'applaudissements, arrivent les quatre auriges, le fouet à la main, un poignard à la ceinture, des bandes molletières autour des jambes. Gédémo porte une tunique verte et ses cheveux roux en désordre dépassent de son casque de cuir.

« Ne trouves-tu pas son casque remarquable ? » demande Sacrovir.

Toutilla, qui ne lui trouve rien de particulier, se contente de constater :

« Il est en cuir noir.

— Mais quel cuir ! déclare fièrement son oncle. Un cuir souple, résistant, brillant.

— Il est très beau, en effet, admet Toutilla.

— Par Hercule, il est exceptionnel. Il a été fabriqué dans mon atelier de l'île de Canabae. Je viens d'en vendre mille aux écuries de l'empereur, à Rome. »

Les auriges montent sur leurs chars. La trompette lance des sons éclatants. Le flamine jette un mouchoir blanc sur la piste. Aussitôt les valets enlèvent les barrières et les chevaux se précipitent dans un nuage de poussière. Debout sur leurs chars, les rênes enroulées autour de la poitrine, les auriges fouettent leurs quatre chevaux. C'est Ballario qui contourne le premier la borne dans la courbe de la piste, suivi de près par Gédémo. C'est encore Ballario qui est en tête à la fin du premier tour. La foule encourage l'aurige des Rouges en scandant :

« Ballario ! Ballario ! Ballario ! »

Pendant le deuxième tour, les Blancs et les Bleus remontent progressivement. Peculiaris se rapproche de Gédémo dans le virage, cherche à le doubler sur la gauche, mais prend le tournant trop à la corde. La roue accroche la borne et vole en éclats, le léger char de bois se renverse et se brise en morceaux. Les chevaux affolés continuent de galoper en traînant dans la poussière l'infortuné aurige.

« Coupe les rênes ! Peculiaris, coupe tes rênes ! lui crie-t-on.

— Dépêche-toi, malheureux, ou elles vont t'étrangler. »

Quoique traîné à grande allure, dans un merveilleux mouvement de courage, Peculiaris se redresse, sort son poignard et coupe les lanières de cuir. Les valets s'affairent de tous côtés pour immobiliser les chevaux, enlever les morceaux de char qui encombrent la piste et ramener Peculiaris.

Au troisième tour, Communis et Ballario sont en tête. Quant à Gédémo, il traîne à l'arrière et prend de plus en plus de retard. Sacrovir est furieux :

« Le lâche, le misérable, la triple canaille ! Par Hercule, pourquoi ai-je parié sur lui ?

— Il s'est peut-être fait mal, suggère Toutilla.

— Tu veux dire qu'il est foudroyé de peur. Mieux vaudrait une statue qu'un pareil aurige. »

Au quatrième tour, Gédémo passe avec une moitié de piste de retard. On le siffle dans les gradins :

« Eh, Gédémo, tu cours aussi vite qu'un cadavre !

— Reste chez toi la prochaine fois ! »

Bibulia se remet à faire des incantations aux dieux des enfers. Peu après, la roue du char de Communis prend feu. Le bois surchauffé par la vitesse s'enflamme avec une rapidité prodigieuse. Communis a juste le temps de couper les rênes et de sauter à terre. On hurle et trépigne dans le cirque. Bibulia triomphe.

« Les dieux infernaux m'ont entendue », murmure-t-elle à Toutilla sidérée par la surexcitation qui l'entoure.

Au cinquième tour, Ballario est certain de sa victoire. Son unique concurrent a un tour de piste de retard. C'est alors que Gédémo se met à pousser un grand cri. Il redresse sa haute taille, et ne cesse de parler à ses chevaux :

« Plus vite, plus vite, bons chevaux, très bons chevaux, allez, allez, gagnez, gagnez. »

Au son de cette voix chaude et familière, les bêtes semblent avoir des ailes. Au sixième tour, Gédémo a presque rattrapé Ballario. Au milieu du septième et dernier tour, il le rejoint, le dépasse à la corde en rasant la borne de justesse, et arrive enfin vainqueur devant la loge d'apparat.

Une tempête d'exclamations salue cette victoire inattendue.

« Farce ! Bonne farce ! » s'écrie Gédémo.

Et, saisissant une couronne de feuillage qui tombe à ses pieds, il la pose sur la crinière du cheval qui mène l'attelage, le cheval de gauche.

L'allégresse cependant est de courte durée. L'assistance qui, debout, hurlait ses félicitations et lançait fleurs et couronnes, se rassied, brusquement effrayée.

« Que se passe-t-il ? demande Toutilla.

— Les fontaines », murmure Sacrovir, les yeux fixés sur la spina.

Les fontaines, en effet, ne lancent plus leurs gracieux jets vers le ciel. Certaines crachotent encore un mince filet d'eau qui s'élève misérablement de quelques pouces, puis se tarissent totalement.

« C'est un signe néfaste », marmonne Sacrovir.

Un homme sale, au manteau rapiécé, aux gestes extravagants, gesticule sur la piste en hurlant :

« Les dieux sont courroucés ! Ils ont pris l'eau du ciel ! Maintenant ils prennent l'eau de la terre ! La malédiction est sur Lugdunum ! Notre mort est proche, très proche ! »

Pour couper court à ce désordre, Caius Julius Camulus se lève dans la tribune et déclare :

« Habitants de Lugdunum, les dieux ont refusé le divertissement que nous leur avons offert. Écoutons-les : arrêtons les courses de chars, ne couronnons aucun vainqueur, et préparons pour l'après-midi un immense sacrifice afin d'apaiser leur colère. »

Puis, constatant l'heureux effet de ses paroles, il se presse d'ajouter pour éviter d'autres troubles :

« Maintenant, que chacun rentre chez soi et prépare un animal à offrir aux dieux. »

Alors, derrière Toutilla, s'élève une voix forte :

« Il vaudrait mieux tuer les chrétiens ! Ces impies, ces galeux, c'est d'eux que vient tout le mal. »

Toutilla se retourne brusquement et reconnaît la petite « fouine ». Le poing dressé, la voix criarde, il apostrophe la foule qui répète ses paroles. Toutilla a le cœur serré. Son esprit se brouille. Elle a l'impression d'entendre la rumeur enfler, s'étendre, grandir et dans sa tête résonnent comme des coups

de marteau : Ces impies ! Ces galeux ! Ces impies !
Ces chrétiens !

*

Dans la maison de son oncle, Toutilla regarde sa
tante décorer de bandelettes de laine le cochon à offrir
aux dieux. Bibulia ne cesse de se lamenter :

« Maintenant, ce sont toutes les fontaines de la ville
qui sont taries ! Pour calmer la colère des dieux il faudra leur sacrifier plus de cent bêtes. »

Quelques pas plus loin, Sacrovir, confortablement
installé dans son fauteuil d'osier, joue aux dés avec un
ami.

« Je parie une pièce d'un as, dit l'ami.

— Et moi je parie une pièce de dix as, annonce
Sacrovir.

— Dieux immortels ! s'étonne l'ami, tu es plein aux
as aujourd'hui. »

Sacrovir hoche la tête.

« Si tu veux mon avis, tous ces présages néfastes
nous annoncent beaucoup d'ennuis. Je crains des
troubles graves. Alors en attendant... »

Et il lève son bol de cervoise en plissant ses yeux
malins.

« En attendant, que Jupiter nous bénisse et nous
donne bien du plaisir.

— Tu as raison. Je mets dix as aussi », répond l'ami,
convaincu par ce bizarre argument.

Et il jette les dés sur la table. C'est alors qu'un esclave apparaît dans l'encadrement de la porte restée ouverte :

« Est-ce ici qu'habite Toutilla ?

— C'est bien ici qu'elle demeure.

— J'ai une lettre pour elle. »

Sacrovir se tourne vers son ami :

« Vois-tu comme ma nièce est remarquable. Hier matin, elle était encore inconnue à Lugdunum, et aujourd'hui, déjà, elle reçoit une lettre. »

Puis il se penche vers son ami pour susurrer :

« Bibulia a fait un songe au sujet de sa gloire. Elle est protégée des dieux. »

Puis, de sa voix puissante, il ordonne à l'esclave :

« Donne-moi ton message. »

L'esclave hésite à remettre la tablette de cire sur laquelle est écrit le message en d'autres mains que celles de Toutilla. Mais Sacrovir s'empare de la tablette avec autorité, l'ouvre par le milieu et lit :

« Zénodore t'invite à la table de la clarissime Pompeia Paula aujourd'hui après la neuvième heure. »

« Qu'est-ce que c'est ? demande Bibulia brûlante de curiosité.

— Ce n'est rien », grogne Sacrovir d'un ton funèbre.

*

Sacrovir arpente la petite soupente sous le toit de tuiles.

« Alors, tu es chrétienne ! » répète-t-il accablé.

Toutilla lève vers son oncle un visage confiant :

« Je crois en notre Seigneur Jésus-Christ, le seul et vrai Dieu.

— Dire qu'il y a tant de dieux dans l'empire romain, et que tu as choisi celui-là ! Un inconnu dont on dit le plus grand mal. Mort sur une croix de bois comme un misérable ! »

Toutilla explique :

Il a choisi la mort des plus pauvres car il est le dieu des plus humbles. »

Sacrovir est très agacé :

« Ne parle pas comme ton évêque ! Par Hercule, tes paroles me fendent la tête. D'ailleurs une fille ne doit pas disserter sur ces choses-là.

— Femme ou homme, nous sommes tous égaux pour aimer le Seigneur. »

Sacrovir lève les bras.

« Ciel ! Que dois-je entendre et supporter ! Vit-on jamais un oncle plus malchanceux que moi ? Tu veux ma ruine !

— Je ne veux que ton bonheur. »

Sacrovir hausse les épaules.

« Alors si tu veux mon bonheur, écoute-moi. Je suis un homme respecté qui peut marcher la tête haute au forum. Je ne demande aux dieux que deux choses :

quarante mille sesterces de fortune pour porter l'anneau d'or et que mes petits-enfants soient des citoyens libres. Mais si toi, ma nièce, tu te déclares chrétienne, alors...

— Si je te fais du tort, interrompt Toutilla avec dignité, je m'en irai de ta maison.

— Et où iras-tu, malheureuse ? »

Sacrovir regarde sa gracieuse nièce et s'attendrit :

« Je ne te chasse pas, ma petite. Je te demande seulement d'oublier ta foi pendant quelques mois. Juste quelques mois. Car en ce moment, à Lugdunum, il ne faut pas être chrétien.

— Personne ne peut m'empêcher de vivre avec le Christ », affirme Toutilla impassible.

Sacrovir devient rouge tant le sang lui bout de colère :

« Tu as la tête dure comme une enclume. Aussi tu resteras enfermée ici jusqu'à ce que tu aies changé d'avis. »

Il se précipite vers la petite porte qu'il referme soigneusement à clef.

Une fois seule, Toutilla lève ses paumes ouvertes et se met à prier.

*

Gédémo traîne dans la ville, désœuvré et indécis. Rien ne le tente : ni d'aller chasser le sanglier, ni de s'exercer au gymnase. Il songe à Toutilla, à la petite lumière qui brille dans ses yeux, à son sourire si doux. Il voudrait la regarder, l'entendre, lui parler. Brusquement, n'y tenant plus, il siffle Caton et tous deux se dirigent vers les nautes de la Saône.

« Salut, dit Gédémo à Sacrovir, qui, l'air morne, joue tout seul aux dés.

— Salut, Gédémo. Que veux-tu ?

— Toutilla... » balbutie Gédémo.

Sacrovir lève un sourcil interrogateur.

« Ne peux-tu t'exprimer d'une manière plus éloquente ?

— Voir Toutilla, explique le garçon.

— Elle n'est pas là », répond Sacrovir, en lançant les dés.

Gédémo, cherchant désespérément des paroles convaincantes, reste planté, sans rien dire, devant Sacrovir. Celui-ci le dévisage à nouveau :

« Pourquoi restes-tu là, bouche bée, comme un bouc dans des pois chiches ?

— Partie ?... interroge Gédémo.

— Tu fais un fameux orateur ! s'esclaffe Sacrovir, que ce grand garçon maladroit remet de bonne humeur. Ton éloquence est vraiment admirable et frappe l'esprit par sa hardiesse et sa beauté ! »

Gédémo rougit de honte. Pour la première fois de sa vie il se sent vexé de s'exprimer d'une manière aussi lamentable. Que ne peut-il, par des insinuations subtiles, apprendre où se trouve Toutilla.

Soudain, il reconnaît son manteau de grosse laine oublié sur un tabouret. Il s'en approche, le prend dans ses mains d'un air perplexe.

« Elle est là ? » demande-t-il.

Sacrovir imperturbable lance son dé de pierre. Gédémô siffle son chien qui vient aussitôt flairer le précieux manteau.

« Cherche-la, Caton, cherche-la, trouve-la », dit-il de cette voix chaude et amicale qui enchante les animaux.

Le bouledogue sort de la maison et commence à aboyer en levant son large museau vers la soupente. Gédémô, surpris, sort à son tour et demande à Sacrovir :

« Là-haut ? Enfermée ? »

L'oncle et le garçon se dévisagent un moment en silence.

Sacrovir, qui connaît l'audace de Gédémô, craint qu'il ne provoque un attroupement. On rira de lui sur le forum, si l'on apprend qu'il enferme sa nièce. C'est que les mœurs ont bien changé depuis César. Maintenant les enfants ont presque tous les droits.

« Je vais la chercher, finit-il par dire. Rentre et attends ici. Ensuite tu nous accompagneras sur le forum pour les sacrifices. »

Gédémô, d'un œil amusé, regarde l'affranchi de son père monter pesamment l'échelle de bois, et dit à son bouledogue :

« Bravo, Caton, bon chien, très bon chien. »

À la septième heure, quand le soleil est haut dans un ciel uniformément bleu, les habitants de Lugdunum, une couronne de feuillage sur la tête, montent la colline du forum.

Chaque famille amène un animal, bœuf, cochon, mouton ou simple coq, pour ce sacrifice exceptionnel qui doit apaiser la colère des dieux. Les bêtes font une cacophonie invraisemblable ; elle se mêle au son des trompettes qui retentissent, là-haut, sur le forum.

Gédémo et Toutilla suivent Sacrovir et Bibulia qui ont beaucoup de mal à tirer leur cochon dans la pente étroite et raide de la rue du Rhin.

« Toujours la petite lumière dans tes yeux, dit Gédémo dans son style laconique. Je voulais te voir. Pourquoi Sacrovir t'a enfermée ?

— C'est sans importance, répond Toutilla. Est-ce que tu connais la maison de Pompeia Paula ?

— Dans la ville haute. Famille de sénateur romain. Très riche.

— Tu m'emmèneras chez elle ?

— Juré », répond Gédémo en riant.

La voie du Rhin conduit à une terrasse qui domine toute la ville. Gédémo s'arrête pour faire les honneurs de la capitale des Gaules :

« En bas, Rhône, Saône, Condate avec l'amphithéâtre, l'île de Canabae. En haut, forum, théâtre, odéon, thermes, ville haute. Très beau. »

Toutilla s'amuse de cette présentation.

Pris dans le flot de la foule, ils sont poussés vers la porte monumentale de pierre blanche, surmontée par l'aigle impériale, qui mène au forum. Sur la place trône une gigantesque statue de Jupiter. Il tient dans ses mains le sceptre et le foudre[1] et ses yeux regardent avec colère les êtres humains qui se pressent à ses pieds.

« Il a l'air méchant et prétentieux, remarque Toutilla.

— Père des dieux, explique Gédémo. Viens voir les sacrifices. »

Et sans attendre de réponse, il saisit la main de Toutilla et l'entraîne près de l'autel du temple de Jupiter.

Les serviteurs sacrés font défiler les animaux trois fois autour du temple. À quelques pas se trouve Bibulia qui fait des incantations aux dieux pour que son cochon soit accepté. Le voilà maintenant devant l'autel. Un officiant pose sur sa tête un gâteau et verse du vin. Un autre brandit sa hache, et d'un seul coup, fracture la nuque de l'animal. Le sang éclabousse l'autel et le cochon s'effondre.

« C'est lamentable ! » s'exclame Toutilla indignée.

Gédémo la regarde avec étonnement :

« Pourquoi lamentable ?

— C'est lamentable de tuer des bêtes pour faire plaisir aux dieux. C'est encore plus lamentable d'ima-

---

1. Le foudre de Jupiter : attribut de ce dieu représentant la foudre.

giner des dieux qui se régalent dans le ciel, la bouche ouverte, la narine frémissante, en voyant tout ce sang, et toutes ces mouches qui viennent autour.

— Fâchée ! » dit Gédémo amusé par la scène.

Toutilla continue à déverser son indignation :

« C'est ridicule de croire que les inondations, les sécheresses viennent de la colère des dieux. Et ridicule d'acheter des dieux avec des cadeaux, comme s'ils étaient des esclaves. »

Bibulia s'approche des deux enfants :

« Pourvu que mon cochon soit accepté ! » murmure-t-elle.

En effet deux devins examinent attentivement les entrailles du cochon et déclarent :

« Son sacrifice est accepté des dieux.

— Que Lug, dieu du soleil levant, vous protège tous », marmonne Bibulia.

Soudain, les deux « fouines » se précipitent devant l'autel en criant :

« L'aqueduc a été coupé dans les collines, à l'ouest de la ville.

— Expliquez-vous davantage, déclare un devin, ne sachant plus s'il faut continuer à tuer les animaux pour faire revenir l'eau dans les fontaines.

— Dans la colline, après la porte d'Aquitaine, on a coupé le siphon qui domine la vallée. Et l'eau se répand partout. Elle fait comme une rivière qui n'aurait pas de rive. »

La nouvelle se répand comme une flamme poussée par le vent. Chacun s'indigne qu'on ait osé détériorer l'aqueduc du Gier, qui apporte l'eau et le confort de la vie jusque dans la ville haute.

« Il faut trouver les responsables, s'écrie un homme.

— Il faudra jeter ces scélérats en prison », poursuit un autre.

Alors la grande « fouine » déclare d'un ton solennel :

« Je connais les responsables. »

Le silence retombe progressivement sur le forum. Puis le jeune homme annonce lentement :

« Ce sont les chrétiens. »

Murmures, clameurs, cris reprennent aussitôt.

« Comment sais-tu que ce sont les chrétiens ? s'étonne un vieillard.

— J'ai vu, près de l'aqueduc, un âne dessiné sur le sol. Et le dieu qu'ils adorent est un âne.

— Et moi, ajoute l'autre "fouine", j'ai vu deux bâtons posés l'un sur l'autre pour former une croix. »

La foule hésite un moment sur la conduite à suivre. Puis une voix s'écrie :

« À mort les chrétiens ! »

Aussitôt cent voix reprennent en chœur :

« À mort les chrétiens ! »

La confusion devient considérable. Chacun cherche autour de lui un chrétien à abattre. Enfin on reconnaît deux jumeaux connus pour adhérer à la nouvelle

secte. Aussitôt on se précipite vers eux, on les roue de coups et on les ligote avec une corde.

Gédémo prend la main de Toutilla figée par l'étonnement.

« Suis-moi. On va chez Pompeia Paula. »

3

Le repas du Seigneur

À peine arrivée sur le seuil de la salle à manger, sans même prendre le temps de saluer ses hôtes, Toutilla, encore indignée, annonce :

« Ils viennent d'arrêter deux jumeaux.

— Où les a-t-on arrêtés ? demande Zénodore.

— Sur le forum. Pendant leurs ridicules sacrifices. »

Pompeia Paula, que l'on appelle souvent la « clarissime » car elle appartient à une illustre famille de sénateurs, s'approche d'elle.

« Tu as l'air tout agitée. Viens d'abord t'asseoir et partager notre repas. »

Toutilla, confuse de son intrusion brutale, s'installe

autour de la table. La clarissime lui présente ses nouveaux frères : Pothin, l'évêque de Lugdunum, un très vieil homme dont les yeux clairs sourient de bonté ; un jeune homme blond et vif, le diacre, dont la tâche est d'aider l'évêque, Cornélius, le sculpteur du flamine, et des visages déjà entrevus : Zénodore, Luna la serveuse du Coq, et Marcurus le puisatier.

Zénodore est pressé d'en savoir davantage :

« Pour quelle raison a-t-on arrêté les jumeaux ?

— À cause de l'aqueduc. Il a été coupé dans les collines. Deux jeunes gens ont accusé les chrétiens de l'avoir saboté. »

Zénodore soupire :

« On peut tout craindre d'un peuple idolâtre et crédule. Les pires folies. La pire violence.

— La vie va devenir insupportable ! s'exclame Luna.

— Luna a raison, reprend Cornélius d'un ton lugubre. Des temps effroyables nous attendent. »

Toutilla, étonnée par ce prompt défaitisme, dit :

« Mais nous allons nous défendre !

— Pourquoi nous défendre ? » dit une petite voix haute.

C'est Blandine, une jeune esclave en train de servir les fruits, qui vient d'intervenir. Elle précise d'un air extasié :

« Ce sera un si grand bonheur de mourir pour le Christ. »

Toutilla la regarde avec stupéfaction.

« Avant de mourir, il faut se battre pour le Christ. Les Apôtres, eux, se sont défendus aussi souvent et aussi longtemps qu'ils l'ont pu.

— Se défendre, c'est facile à dire. Mais comment ? remarque Luna toujours alarmée.

— Il y a des lois, il y a une justice dans l'empire », répond Toutilla.

Luna hoche la tête d'un air peu convaincu.

« Moi, j'aurais peur de parler devant un juge, dit-elle.

— Pourquoi ? s'étonne Toutilla. Le Christ nous a appris à ne trembler devant personne.

— Pour le moment, interrompt le diacre, il faut être très prudent. Aussi le prochain repas du Seigneur aura lieu, non pas chez l'évêque, qui est trop connu, mais ici, chez Pompeia Paula.

— C'est une décision sage, approuve Pothin.

— Que chacun d'entre nous prévienne les frères et les sœurs de son quartier », dit le diacre.

Puis il se tourne vers Toutilla :

« Toi, que personne ne soupçonne, tu préviendras les marchands du forum et des rues qui l'entourent. Je te donnerai leurs noms. »

Le repas terminé, tous se lèvent et prennent la position de la prière : debout, les bras levés de chaque côté, les paumes ouvertes. L'évêque prend la parole :

« Merci, Seigneur, pour ce repas d'amour. Merci de

nous avoir envoyé une nouvelle sœur. Frères, ne vous laissez pas ébranler par les menaces qui nous entourent. Nous qui avons vu luire, émerveillés, la lumière de la vérité, restons fidèles dans l'amour du Christ. N'oubliez jamais que l'esprit de celui qui est ressuscité habite en vous. »

Des esclaves apportent une cuvette de cuivre emplie d'eau fraîche. L'évêque la bénit, et chacun vient tremper ses mains dans l'eau sainte. Puis tous se donnent le baiser de paix.

*

Le lendemain, Bibulia se réveille avant le lever du soleil, saute au bas du lit et enfile une deuxième tunique sur celle qu'elle a gardée la nuit. Après avoir attaché ses sandales sur ses chaussettes de laine, elle s'approche de Sacrovir qui ronfle encore.

« Réveille-toi, Sacrovir. »

Son mari grommelle sans répondre.

« Mais réveille-toi, par Lug, j'ai fait un songe fabuleux ! »

Sacrovir se met un coussin sur la tête pour continuer à dormir. Bibulia le lui arrache et explique :

« Un songe sur Toutilla. »

Sacrovir ouvre un œil interrogateur. Aussitôt Bibulia se met à arpenter la pièce, parlant comme un acteur de théâtre.

« Voici mon songe : Toutilla était allongée sur le dos d'un gigantesque corbeau blanc.

— Un corbeau blanc, c'est très rare. C'est signe de chance, interrompt Sacrovir.

— Laisse-moi parler. Le corbeau s'élevait lentement vers l'azur. Soudain, des rayons tout dorés, tombant du haut du ciel, illuminèrent Toutilla qui brillait comme un soleil.

— Et ensuite ?

— Ensuite il y avait un homme à grande barbe, d'où partaient tous ces rayons, qui dit d'une voix terrible : "Toutilla, je suis celui qui te protège de mon amour. Ceux qui te feront du mal devront craindre ma colère."

— Et après ?

— C'est tout. Je me suis réveillée.

— À ton avis, qu'est-ce que tout cela signifie ?

— C'est clair comme la lumière du jour. Cette enfant est protégée des dieux ! »

Sacrovir se tait un moment, puis il confie à regret :

« Je ne t'ai pas prévenue pour ne pas t'inquiéter, mais... Toutilla est chrétienne.

— Ah ! » fait Bibulia interloquée.

Puis, reprenant aussitôt ses esprits, elle ajoute :

« Le dieu des chrétiens est un dieu comme les autres !

— Tes paroles sont du dernier ridicule ! Des gens

qui n'ont pas de temple, pas d'autel, pas de sacrifices, n'ont pas un dieu comme les autres ! »

Bibulia paraît réfléchir un moment avant de constater :

« Les histoires entre les dieux sont pour nous incompréhensibles. La seule chose que nous puissions comprendre, ce sont les rêves qu'ils nous envoient.

— Et toi, que comprends-tu de ce songe-là ?

— Qu'il faut protéger la petite. Le Ciel nous en remerciera un jour.

— Tu as peut-être raison », concède l'affranchi.

*

« Je peux venir avec toi ? demande Toutilla.

— Quelle idée, par Hercule, de vouloir faire le marché, s'étonne Sacrovir. Ce n'est pas une occupation de femme.

— Je m'ennuie à ne rien faire.

— Tu n'as qu'à jouer aux dés, ou aller aux thermes avec Bibulia : ils sont ouverts pour vous le matin.

— Quand j'étais esclave je travaillais beaucoup. Maintenant je me sens désœuvrée.

— Alors, viens avec moi. »

Il y a foule sur le Cardo, la rue commerçante en contrebas du forum. L'aqueduc vient d'être réparé et les porteurs d'eau se bousculent autour des fontaines. Toutilla est entièrement occupée à repérer les boutiques où travaillent des chrétiens. Elle ne remarque pas les deux « fouines » qui la suivent à distance.

Laissant Sacrovir discuter avec les amis qu'il rencontre à chaque pas, Toutilla entre dans une boutique de chaussures. À la main, elle tient un poisson de terre cuite, signe de reconnaissance. Peu de temps après, un esclave s'approche d'elle et lui murmure à l'oreille :

« Le Christ est ressuscité.

— Dimanche, le repas du Seigneur aura lieu chez Pompeia Paula. » Et elle retourne aussitôt dans la rue rejoindre son oncle.

Après avoir vu Toutilla entrer successivement dans trois boutiques sans rien acheter, la grande « fouine » dit à son compagnon :

« Va écouter ce qu'elle raconte, cette chienne impie. »

Le jeune homme entre avec désinvolture chez le boulanger et fait semblant d'hésiter entre plusieurs gâteaux ronds jusqu'à ce qu'il s'approche suffisamment de Toutilla pour entendre :

« Le repas du Seigneur aura lieu chez Pompeia Paula. »

Alors, satisfait, il achète un gâteau au miel qu'il dévore avec gourmandise.

*

Le jour du Soleil, lorsqu'il fait encore nuit noire et que les habitants de Lugdunum sont encore plongés dans le sommeil, les chrétiens se dirigent vers la ville haute. Ils s'engagent dans la belle rue d'Aquitaine, aux larges dalles de granit et aux maisons entourées de jardins, et entrent discrètement chez Pompeia Paula. Ils viennent célébrer le repas du Seigneur, avant que ne commence le travail, au lever du jour.

Ils sont une centaine, rassemblés autour de l'évêque dans l'ombre mouvante des lampes à huile. Le diacre ouvre la cérémonie en lisant la lettre apportée par Toutilla :

« Les serviteurs du Christ qui habitent Massilia à leurs frères de Lugdunum... »

Toutilla n'écoute pas un message qu'elle connaît déjà, et regarde attentivement les frères de sa nouvelle communauté. Qu'ils soient riches ou pauvres, maîtres ou esclaves, un même air de bonté se lit sur leur visage.

« Le Seigneur soit avec vous, mes frères. »

C'est la voix claire de l'évêque qui annonce les paroles du Christ :

« Comme mon père m'a aimé, moi aussi je vous ai aimés. Demeurez en mon amour. Je vous dis cela pour que ma joie soit en vous et que votre joie soit parfaite. »

En entendant ces paroles, si connues, si chères, Toutilla sent brûler dans son cœur une grande flamme de bonheur. Elle se sent envahie par l'amour, un amour tellement immense pour le Christ, qu'il lui paraît sans limites.

« Aimez-vous les uns les autres, comme je vous ai aimés. »

La voix de l'évêque tremble d'une légère émotion, puis il dit :

« Maintenant, mes frères, donnez-vous le baiser de paix. »

Chacun donne à ses voisins l'accolade de l'affection, puis le rite du repas du Seigneur commence. Pothin lève les bras et déclare :

« Que la grâce du Seigneur Jésus-Christ, l'amour de Dieu et la communion du Saint-Esprit soient avec vous. »

Le diacre se tourne à son tour vers l'assistance :

« Que ceux d'entre vous qui possèdent quelque chose viennent en aide à ceux qui n'ont rien. »

Chacun apporte sur la table qui sert d'autel des offrandes : les uns du pain, d'autres du vin, d'autres des poules et des canards, d'autres des tissus et des outils, d'autres enfin des pièces d'argent, as, sesterces ou deniers.

Le diacre choisit parmi tous ces dons du pain et du vin et les dépose devant l'évêque. Celui-ci les prend, les élève et dit :

« Répétons les paroles du Seigneur : Ceci est mon corps, ceci est mon sang. »

À ce moment, la porte s'ouvre brusquement et quatre hommes, dont les visages sont recouverts par des masques d'acteurs, entrent dans la pièce. Ils

portent une sorte de brancard sur lequel est jeté un drap blanc qui recouvre une masse volumineuse. Un des hommes prend la parole :

« Pompeia Paula, nous t'apportons ce présent. Nous espérons qu'il charmera ton cœur. »

Et les bizarres personnages déposent le brancard sur le sol et sortent précipitamment.

Un nuage d'inquiétude passe sur le visage serein de la clarissime. Personne n'ose bouger. Enfin Marcurus, le puisatier, décide de rompre ce silence insupportable. Il s'avance vers le brancard et tire brutalement le drap. Un cri d'horreur sort de toutes les bouches, et les regards restent rivés sur le cadeau. C'est un ânon mort, cloué sur une croix de sapin. Ses yeux sont peints de la couleur de l'or et une couronne de feuilles de chêne pend tristement autour de ses oreilles. Sur sa poitrine, est écrit en grandes lettres rouges : « Je suis le Dieu que vous adorez, ma parole est prophétie. »

Brusquement Luna, saisie d'une folie soudaine, se rapproche de l'animal ridiculement couronné.

« Pauvre petit âne ! Toi aussi ils t'ont crucifié ! Pauvre petit âne si doux et si gentil. »

Puis, se tournant vers ses frères, elle se met à hurler :

« Bientôt ce sera notre tour ! Tous, oui tous, nous serons cloués sur des croix ! Tous nous allons mourir ! »

Plusieurs frères et sœurs la rejoignent et l'entourent

près de l'âne pour essayer de la calmer. C'est alors que des dizaines de visages apparaissent aux fenêtres pour contempler les chrétiens réunis autour de leur dieu animal. Les mouchards, qui se pressent à l'extérieur, ont des yeux qui brillent d'une lueur mauvaise et des rires sarcastiques. On entend leurs exclamations haineuses :

« Regardez ces impies : voici ce qu'ils adorent ! Voilà ceux qui insultent les dieux ! À mort ! Aux lions, les chrétiens ! »

Alors, dominant toute cette confusion, s'élève la voix de l'évêque :

« Rappelez-vous, mes frères, les paroles du Seigneur : "Soyez heureux si l'on vous insulte, si l'on vous persécute, si l'on vous calomnie à cause de moi. Soyez dans la joie et l'allégresse car votre récompense sera grande dans les cieux." »

*

Une heure plus tard, Toutilla jette des coups d'œil à gauche et à droite dans la rue d'Aquitaine pour s'assurer qu'il ne reste plus personne à espionner les chrétiens. Tout est calme et tranquille et on entend seulement le chant des oiseaux qui saluent le lever du jour.

« Je peux y aller, dit Toutilla.

— C'est bien imprudent, remarque Zénodore qui se tient à ses côtés.

— Une grille de fer ne peut arrêter le don du Seigneur. »

Et saisissant un panier recouvert d'une serviette de repas, elle s'engage dans la rue en direction du Rhône.

Le fleuve est couvert de bateaux. Larges ou étroites, rondes ou pointues, les barques transportent du blé, des tissus multicolores, des amphores allongées remplies de vin, ou des amphores rondes remplies d'huile, des oies et des jambons, sans oublier les matelas renommés des Gaules. De petites barques de plaisance, agréablement protégées du vent, emmènent quelques voyageurs vers le sud, car le périple est plus agréable par le fleuve que par la route.

Toutilla reste un moment à contempler cette joyeuse animation, puis reprend sa course en direction de la prison.

*

La prison se trouve au sud de la ville, non loin du Rhône, creusée dans une falaise.

« Je viens voir deux jumeaux qui sont enfermés ici.

— Que leur veux-tu ? demande le garde, amusé par l'audace de son interlocutrice. Ignores-tu que les prisonniers ne reçoivent pas de visite ?

— Ils ont été arrêtés par erreur.

— Par Mars, c'est toi qui rends la justice maintenant ! »

Toutilla reste imperturbable.

« Je leur rapporte du pain. Les juges seront très en colère si tu laisses mourir de faim des hommes injustement accusés. »

Le garde se laisse fléchir.

« Laisse-moi voir ce qu'il y a dans ton panier. »

Et constatant que le panier ne contient que du pain et du vin il laisse entrer la jeune visiteuse.

L'intérieur de la prison comprend une seule pièce ronde taillée dans le rocher. Les prisonniers sont assis en cercle, les chevilles attachées à des chaînes scellées dans la muraille. Ce sont des voleurs, parfois des assassins, aux regards durs et méfiants. Toutilla s'approche des deux jumeaux, visiblement embarrassés par ce compagnonnage.

« Je vous apporte le corps et le sang de notre Seigneur », leur dit-elle.

Et, découvrant la serviette blanche, elle sort un grand morceau de pain consacré par l'évêque.

« Eh, crie un gros homme hirsute, je veux du pain aussi. »

Toutilla se tourne vers lui :

« Je ne peux pas t'en donner, car c'est le corps du Christ.

— Qu'est-ce qu'elle raconte, cette toquée ? s'écrie un autre.

— Donne-nous du pain, répète un troisième d'un ton menaçant. Sinon nous allons te faire un peu mal, ma petite. »

Et l'homme tire ses pieds le plus loin possible de la muraille et s'allonge sur le sol pour tenter de saisir Toutilla.

Toutilla, impassible, donne le pain et le vin aux jumeaux. Lorsqu'ils ont mangé et bu la nourriture consacrée, Toutilla regarde autour d'elle. Elle est encerclée par les hommes qui rampent sur le sol en tendant des visages en colère et des mains inquiétantes.

« Vous ne pouvez pas manger de ce pain, car il représente le Dieu des chrétiens, explique la visiteuse. Nous adorons un Dieu très différent de ceux que vous connaissez. »

Et, insensible aux gestes de menace qui l'environnent, elle s'assied tranquillement au milieu des prisonniers.

« Le Dieu que nous adorons est venu sur terre pour nous sauver.

— Est-ce qu'il peut nous sauver de la prison ? demande un condamné.

— Oui, il peut pardonner toutes vos fautes et vous donner la vie éternelle.

— Tu veux dire qu'après notre mort, nos crimes ne compteront plus ?

— Avant et après la mort, Dieu peut pardonner et effacer les crimes. Ce sont les brebis égarées qui sont les plus proches de son cœur. »

Le gros homme hirsute grogne quelques mots inintelligibles et finit par déclarer :

« Parle-nous un peu de ton Dieu. Cela nous fera de la distraction. »

Et Toutilla commence à raconter l'étonnante existence du Dieu fait homme, tandis que les rudes prisonniers qui composent son auditoire se transforment en enfants sages.

*

Gédémo est de mauvaise humeur, car le sanglier qu'il courait lui a échappé.

« Jour néfaste, Caton, très néfaste. »

Caton baisse tristement les oreilles.

Le chasseur dépité trouve son père dans l'atrium en train de faire la sieste. Un lit de repos a été tiré dans la cour pour profiter du doux soleil du printemps et Caius Julius Camulus est plongé dans sa lecture.

« Cet orateur écrit avec un art admirable ! déclare-t-il à son fils.

— Qui ? demande Gédémo.

— Cicéron, le grand Cicéron, le plus célèbre de tous.

— Connais pas », constate Gédémo.

Le flamine regarde son fils avec tristesse.

« Tu fais le désespoir de ton père à t'exprimer en monosyllabes. »

Puis, se laissant porter sur les ailes de la mélancolie, il ajoute :

« J'aurais aimé avoir un fils qui sache séduire un auditoire, entretenir une correspondance habile avec des esprits remarquables, étonner le monde par le charme de son éloquence. J'aurais aimé... »

Camulus est interrompu par le tribun de la cohorte urbaine qui s'avance dans l'atrium. Devant l'officier qui dirige la police de la ville, il quitte son lit de repos et l'accueille en disant :

« Salut à toi.

— Caius Julius Camulus, salut. »

Le flamine s'installe dans un fauteuil d'osier couvert d'un coussin de soie et fait signe à son interlocuteur d'en faire autant.

« Je viens te voir pour un problème grave qui touche à la sécurité de l'empire, déclare le tribun.

— Je t'écoute.

— Il s'agit des chrétiens. Nous avons arrêté des jumeaux.

— Pour quelle raison ? dit le flamine agacé.

— Ils se moquaient des sacrifices et de Jupiter.

— La loi est formelle, reprend le flamine. On ne doit pas rechercher les chrétiens, et on ne peut les arrêter que s'ils sont dénoncés et qu'ils passent aux aveux.

— Ils seront dénoncés, répond le tribun d'un air

69

vengeur. On les a vus adorer un âne chez Pompeia Paula. »

Le flamine se met à faire les cent pas d'un air soucieux.

« Faut-il vraiment agiter toutes ces querelles ? Nous vivons un moment de bonheur dans notre histoire. C'est la paix, la paix partout. Pourquoi troubler les esprits ? »

Le tribun est de plus en plus excité :

« Ce sont des êtres malfaisants. Ils veulent semer partout l'anarchie et détruire l'empire.

— Oh ! bonne foi des citoyens, s'écrie le flamine, calme ton esprit échauffé par la colère. Les chrétiens ne sont pas méchants et ils paient bien leurs impôts. »

Le tribun plisse les yeux et dit d'un ton perfide :

« Que dira l'empereur quand il apprendra que tu défends ceux qui refusent sa divinité ? »

Le flamine paraît blessé par cette accusation. Il s'approche de la fontaine et regarde un long moment s'écouler l'eau, comme pour distraire son esprit d'une préoccupation importune.

« Ce problème n'est pas de mon ressort, finit-il par dire. Il dépend du légat qui gouverne les Gaules. En attendant qu'il rentre de voyage, je te rappelle la loi : on ne peut arrêter les chrétiens qu'après les avoir jugés, et on ne peut les juger que s'ils ont été dénoncés.

— Nous les dénoncerons. Je te le jure, par Jupiter. »

Le flamine hoche la tête d'un air résigné.

« Je ne peux rien dans cette affaire. Maintenant laisse-moi. Je dois reprendre ma lecture. »

Le tribun sort de l'atrium. Gédémo se plante devant son père, les yeux brillants d'indignation :

« Toujours laisser faire, toujours laisser dire. Rien faire ! »

Le flamine tapote longuement le coussin de soie avant de le reposer sur le fauteuil.

« J'aime la paix. Pour la maintenir je préfère ignorer certaines choses. D'ailleurs je crois que nous sommes amollis par la richesse. Nous ne savons plus nous défendre.

— Moi, j'aime me battre. Et vaincre ! » répond fièrement Gédémo.

Son père soupire d'un air las :

« Si tu ne sais que te battre, tu finiras gladiateur. »

4

La chasse aux chrétiens

Le lendemain matin, Toutilla se dirige vers le pont sur le Rhône. Elle a promis à Zénodore de l'accompagner chez une sœur malade qui demeure à un mille des murailles de la cité.

Dès qu'elle arrive dans l'île de Canabae, elle perçoit une clameur provenant des belles maisons résidentielles. Pressentant quelque malheur, elle se précipite vers la demeure du médecin.

Devant le jardin de Zénodore une centaine de personnes sont réunies. À leur tête, accompagné de quelques gardes, se tient le tribun de la cohorte urbaine, dont la tenue militaire scintille au soleil levant : la cuirasse, tressée de lanières de cuir, maintient au milieu de la poitrine une resplendissante plaque de fer, et son beau casque de métal, un de ces casques que Sacrovir rembourre de cuir, est surmonté de plumes pourpres.

La foule pousse des cris :

« À mort Zénodore, à mort le chrétien !

— Il faut les tuer tous, c'est à cause d'eux qu'il ne pleut pas.

— Qu'est-ce qu'on attend pour les jeter aux bêtes ? »

Le tribun se retourne vers la foule, lui fait signe de se taire et déclare :

« Citoyens de Lugdunum, n'ayez aucune crainte. En tant que tribun de la cohorte urbaine, responsable de la tranquillité de notre ville, je vous jure de vous débarrasser de ces impies. Maintenant aidez-moi, aidez-moi tous, en dénonçant tous les chrétiens que vous connaissez. »

Des bravos et des applaudissements répondent au discours du tribun.

« À mort Zénodore, aux lions le médecin ! »

Toutilla se cache derrière un massif d'arbustes pour suivre les événements. Le tribun traverse le petit jardin du médecin, et frappe énergiquement à la porte. Celle-ci s'ouvre aussitôt, et Zénodore, digne et calme, apparaît sur le seuil. Ses yeux pétillants parcourent la foule avec sérénité.

« Que me veux-tu ? demande-t-il.

— Tu as été dénoncé comme chrétien. L'es-tu ? répond le tribun.

— Je suis un soldat du Christ.

— Je t'arrête et te conduis en prison.

— Même si tu nous arrêtes par milliers, dit Zénodore, tu n'empêcheras jamais la victoire de notre Dieu. »

Et Zénodore tend ses mains aux gardes pour qu'on les attache. Exaspérée par le calme du médecin, la foule lui jette des pierres et le couvre d'invectives :

« Tu ne feras pas le fier longtemps ! On rira bien lorsque tu seras mangé par les bêtes ! »

Zénodore s'avance impassible, murmurant tout bas des prières.

La forte voix du tribun s'élève à nouveau :

« On m'a dénoncé le puisatier Marcurus. Cherchons-le, trouvons-le et arrêtons-le. »

Et le groupe surexcité s'éloigne en fredonnant un refrain :

« À bas les pelés, à mort les galeux, aux lions les chrétiens. »

Toutilla, derrière son arbuste, reste clouée sur place. C'est la première fois qu'elle voit une foule manifester tant de haine et de colère. Elle pressent que rien ne pourra arrêter cette fureur, hormis la souffrance de ses frères et d'elle-même.

Une esclave de Zénodore, fort âgée, s'avance en clopinant vers l'arbuste.

« Que restes-tu là, à ne rien faire ? Tu as l'âge de courir. Qu'attends-tu pour prévenir nos frères de ce qui les menace ?

— J'ai eu très peur, avoue Toutilla.

— Tu auras l'occasion d'avoir beaucoup plus peur encore. Que cela ne te coupe jamais les jambes et que le Seigneur te protège. »

Et la vieille esclave repart en clopinant tandis que Toutilla part à la recherche de Marcurus.

*

À Condate, Marcurus est en train de creuser un puits lorsque Toutilla l'appelle :

« Viens te cacher, Marcurus.

— Pourquoi ?

— Ils viennent te chercher pour t'emmener en prison.

— Ils n'ont pas le droit, répond le puisatier. Seul le légat a le droit de nous juger et il est absent.

— Pourtant ils viennent d'arrêter Zénodore et cherchent partout d'autres chrétiens. Il faut te cacher en attendant le retour du légat.

— Où veux-tu que j'aille ?

— Nous irons à la taverne du Coq. Il y a tellement de passage qu'on ne remarquera pas ta présence. Et Luna te cachera dans la réserve à provisions. »

*

Il y a beaucoup de monde en effet devant la porte du Coq et Toutilla et Marcurus ont du mal à pénétrer dans la taverne. C'est qu'à la cinquième heure, les marins, les bateliers, les artisans de ce quartier populaire viennent prendre un rapide déjeuner pour tenir bon jusqu'au souper. Chacun interpelle la servante :

« Luna, du jambon, du pain et de la cervoise.

— Luna, du boudin et de la cervoise.

— Pour moi, un fromage de Lozère », crie un autre.

Luna court entre les tabourets, servant la charcuterie gauloise avec quelques asperges sauvages, du raifort et du chou. Les hommes la regardent avec un sourire heureux tant elle est vive et joyeuse. Toutilla s'approche d'elle et lui murmure à l'oreille :

« J'ai quelque chose d'urgent à te dire.

— Va au fond, dans la réserve à provisions. »

Marcurus et Toutilla vont se réfugier dans un réduit derrière la cuisine. Jambons et boudins dansent au-dessus de leurs têtes à côté d'une hure de sanglier et de poissons séchés. Luna les rejoint rapidement.

« Que se passe-t-il ? demande-t-elle.

— Ils ont arrêté Zénodore. Maintenant ils recherchent Marcurus. Il faut que tu le caches ici. »

Le beau visage de Luna se fige subitement. Elle reste immobile, comme saisie par une grande tourmente intérieure.

« Je ne peux pas, finit-elle par dire. Je ne peux pas cacher Marcurus.

— Mais pourquoi ? s'étonne Toutilla.

— J'ai peur, avoue la belle serveuse. Si on trouve Marcurus ici je serai dénoncée et arrêtée à mon tour.

— Enfin, Luna, il s'agit de ton frère », insiste Toutilla.

Luna baisse la tête :

« Je ne veux pas aller en prison », répète-t-elle avec obstination.

Marcurus lui met doucement la main sur l'épaule.

« Tu as raison, Luna, de refuser de me cacher. C'est à moi que le Seigneur demande maintenant de souffrir pour lui. Que Dieu te protège, sœur. »

Et Marcurus se dirige vers la porte de la taverne.

Luna éclate en sanglots :

« Je crois en Dieu, j'aime notre Seigneur, mais je ne veux pas mourir. Crois-tu que je sois une mauvaise chrétienne ?

— Ne t'inquiète pas, lui répond doucement Toutilla. Chacun aime Jésus-Christ à sa façon. »

*

« À mort, Marcurus !

— À mort l'impie ! »

Le tribun et ses acolytes viennent de découvrir le puisatier devant la taverne. En un instant, les joyeux mangeurs du Coq se sont transformés à leur tour en engeance vociférante. Ils rivalisent avec les gardes de la cohorte pour inventer quelque nouvelle humiliation.

« Qu'on le déshabille et qu'on le jette dans la Saône. »

Le tribun secoue la tête.

« Non, il doit aller en prison. Mais si cela vous amuse, vous pouvez l'interroger. »

Un homme large et rubicond s'avance vers Marcurus :

« Es-tu un pelé et un galeux ? »

Marcurus ne répond pas. L'homme le frappe au visage :

« Je te demande si tu es chrétien ?

— Je suis chrétien.

— Il a avoué », hurle le juge improvisé.

L'homme regarde le long du quai les statues qui représentent les dieux des différentes corporations, et annonce avec un gros rire :

« On va t'obliger à adorer le dieu de la cervoise. »

Et traînant Marcurus, il le conduit devant la statue du dieu Sucellus.

« Jure par Sucellus et adore-le, ordonne-t-il.

— Jamais, répond le puisatier.

— Alors tu l'adoreras de force. »

Et se tournant vers l'assistance, il crie :

« On va l'attacher à Sucellus pour qu'il adore la cervoise. »

En un clin d'œil, on lui apporte des cordes pour ficeler le puisatier sur la statue de pierre. Puis les hommes défilent, les uns après les autres, en lui donnant un coup de verge et en ordonnant :

« Maintenant dis : j'adore Sucellus.

— J'adore le Seigneur Jésus », répète Marcurus.

Les coups zèbrent son corps et des filets de sang coulent sur ses membres. Toutilla s'approche de lui :

« Aie courage, frère. Tu ressusciteras avec le Seigneur, et tu seras tellement heureux que tu pleureras de joie. »

Marcurus a du mal à parler :

« Va prévenir le foulon, articule-t-il avec difficulté. Ils veulent... »

Un coup de fouet sur la tête l'empêche de terminer sa phrase.

*

« Où es-tu, foulon ? crie le tribun à la porte de l'atelier désert. As-tu fui avec tes esclaves ? »

Dans le vaste atelier où l'on traite et où l'on teint les draps et les vêtements, Toutilla et le foulon sont cachés derrière des sacs de poudre de craie qui sert à apprêter les tissus.

Le tribun s'avance dans la pièce :

« Où es-tu crapaud ? Montre-toi immédiatement ou je mets ta boutique sens dessus dessous. »

Les hommes du tribun entrent petit à petit dans la

pièce. Ils s'amusent à tirer sur les toges et les manteaux qui sèchent sur de hautes poutres de bois pour les jeter sur le sol, et cherchent vainement le foulon derrière les rangées de couvertures de couleur.

« Ce chien crevé s'est échappé, conclut le tribun. Saccagez tout sur votre passage. »

Les hommes ne se le font pas dire deux fois. Ils renversent les bacs où trempent braies, tuniques et manteaux. Ils renversent les cuves où se préparent la lessive de cendre, et les teintes pourpres, violettes, vertes et noires. Saisissant les grands battoirs de bois, ils frappent sur les étagères les pots de verre où sont gardées les poudres rares et onéreuses : fioles contenant du safran, du suc de grenade, de l'indigo importé d'Inde, de la poussière de rouille, du murex de Méditerranée, et le précieux vinaigre qui fixe les couleurs. Puis, parcourant à nouveau le hangar de séchage, ils décrochent tous les vêtements.

Le saccage terminé, les hommes du tribun quittent l'atelier. Alors le foulon ose sortir de sa cachette, et ce qu'il voit le laisse médusé : le sol est recouvert d'une mare multicolore ; les habits traînent dans cette eau mélangée et les poudres de teinture sont perdues.

« Je suis ruiné », murmure-t-il.

Et, saisi par un désespoir brutal, il se précipite à l'extérieur en hurlant :

« Soyez maudits ! Soyez maudits ! Que la colère de Dieu vous poursuive dans l'éternité. »

Toutilla entend des rires, des éclats de voix, un hurlement du foulon, puis le silence retombe dans l'atelier dévasté.

« Ils l'ont emmené à la prison », se dit-elle.

C'est alors que des quatre côtés de l'atelier, le feu se met à jaillir. En un instant, le bois de charpente, après des semaines de sécheresse, flambe à une vitesse prodigieuse. Toutilla se drape rapidement dans une grande couverture humide pour se protéger des flammes et s'élance vers la porte. Mais une poutre de charpente, dont l'extrémité accrochée au mur vient de se consumer, s'effondre brusquement, tombe sur l'épaule de Toutilla en la précipitant à terre.

Au milieu de la mare, le corps plaqué au sol par la lourde poutre, le nez plongé dans la teinture, Toutilla ne peut plus bouger. Autour d'elle les murs s'écroulent par à-coups, les tabourets et les tables éclatent en morceaux, des fragments de charpente achèvent, ici et là, de se consumer.

Heureusement les flammes meurent aux lisières de la mare dans laquelle Toutilla devient multicolore. Elle a le plus grand mal à ne pas avaler ces liquides dangereux, et avec beaucoup de peine, dégage un bras, pour attraper un morceau de bois qui dérive sur l'eau. Puis elle le cale sous son menton afin de pouvoir respirer librement au-dessus de la mare.

Progressivement l'ombre envahit la pièce. Toutilla songe que si personne ne vient dans cet atelier isolé, proche du chemin des saules, elle risque de mourir stupidement. Comme elle aurait préféré la prison, entourée de ses frères ! Mourir, seule et abandonnée dans la teinture, lui paraît une fin aussi pitoyable que ridicule.

Pour oublier son chagrin, elle se met à prier. Et petit à petit, la joie, la flamme de joie que parfois envoie le Seigneur, revient emplir son cœur.

*

En rentrant du cirque où il s'entraînait à la course de chars, Gédémo apprend la rafle à laquelle le tribun se livre depuis l'aube contre les chrétiens. Il s'inquiète pour Toutilla et il s'apprête à repartir aussitôt chez Sacrovir.

Pourtant l'humiliation de sa dernière visite, lorsque, incapable de s'exprimer, il est resté stupide et muet comme une statue, lui revient à la mémoire.

« Allons, j'apprends l'éloquence en vitesse ! se dit-il. Ça doit pas être difficile. »

Dans la bibliothèque latine de son père, il cherche les petites boîtes rondes où sont rangés les rouleaux des harangues de Cicéron et s'empare de la première qui lui tombe sous la main. Gédémo déchiffre :

« Jusques à quand, enfin, Catilina, abuseras-tu de notre patience ? »

En marchant de long en large, il répète comme un automate le début de la célèbre harangue. Vite excédé par cet exercice, il fait une grimace, soupire et se tourne vers Caton :

« Jusques à quand, enfin, Caton, l'éloquence abusera-t-elle de ma patience ? »

Caton, fort satisfait de ce changement de langage, lui répond par trois aboiements joyeux.

*

Gédémo longe les statues des corporations des nautes de la Saône jusqu'à la maison de l'affranchi de son père. Sacrovir est assis devant sa table, l'air funèbre. Toutilla n'est pas dans la pièce et aucun manteau ne traîne sur un tabouret. Aussi Gédémo déclare-t-il d'une seule traite :

« Jusques à quand, enfin, Sacrovir, ta nièce abusera-t-elle de ma patience ? »

Sacrovir, interloqué, vide d'un seul coup le bol de cervoise posé devant lui et demande :

« Que dis-tu ? »

Comme Gédémo ne répond rien, il ajoute :

« Tu te crois sur le forum, pour parler comme un avocat ? »

Gédémo s'aperçoit avec consternation qu'il ne suffit pas d'une phrase pour se débrouiller dans l'éloquence, et reprend son vocabulaire normal :

« Toutilla ? »

Sacrovir donne un coup de poing sur la table :

« Mieux vaudrait que les dieux m'eussent fait pendre que de me donner une nièce pareille ! »

Bibulia sort aussitôt de la cuisine, l'air indigné :

« N'insulte pas les dieux, Sacrovir. Ils m'ont averti en songe qu'ils la protégeaient.

— Toutilla ? » répète Gédémo qui commence à s'impatienter.

Sacrovir lève un bras découragé. Bibulia répond à sa place :

« Elle est chez un chrétien ! »

Sacrovir frappe à nouveau son poing sur la table :

« Mais où, par Hercule ! Chez un chrétien, mais lequel ? En ce moment ils pullulent comme des grenouilles sous la pluie. »

Puis, changeant de ton, il dit d'une voix rapide et basse :

« Je ne peux rien te dire, mon garçon. Elle a disparu. Personne ne l'a vue. Je l'ai cherchée en vain. »

Gédémo réfléchit un moment puis demande :

« Un habit de Toutilla... Une tunique ? »

Sacrovir le regarde sans comprendre, et se tourne vers sa femme :

« Qu'est-ce qu'il veut faire avec les habits de la petite ? Un épouvantail ?

— Grand imbécile, dit Bibulia. C'est certainement pour les faire renifler à son chien. »

Et Bibulia apporte rapidement une tunique en disant :

« Ramène-la-nous, je te prie. La divinité qui protège cette maison te protégera à ton tour. »

*

La lune monte dans le ciel lorsque Gédémo et Caton arpentent encore Lugdunum. Le garçon a été chez la clarissime, chez l'évêque, chez le diacre, à la taverne du Coq, mais personne n'a vu Toutilla. Caton a fouillé la ville haute, la ville gauloise de Condate, l'île de Canabae, mais en vain. Maintenant Gédémo marche tristement dans le chemin des saules. Devant lui se dressent les décombres d'une maison récemment brûlée. Des morceaux de bois fument encore.

« Caton, va voir ! » ordonne Gédémo.

Mais Caton est indisposé par les odeurs violentes de vinaigre et de soufre qui irritent ses narines. Aussi se contente-t-il d'une petite ronde à bonne distance, puis, dans un grognement plaintif, détale pour attendre son maître plus haut, là où la brise apporte les bonnes odeurs nocturnes des forêts avoisinantes.

Gédémo, pensif et découragé, suit son chien, lorsque son attention est à nouveau attirée sur la maison brûlée. Au centre, une grande mare, de couleur violette, jaune et pourpre, brille d'une manière singulière, comme une pièce d'or reflétant le soleil. Intrigué, Gédémo s'approche, et plus il avance, plus la mare resplendit de lumière. En l'examinant avec attention, il remarque une lourde poutre qui la traverse en son milieu. Autour d'elle s'agglutinent des morceaux de bois, des tissus, des vêtements de toutes couleurs. Près du milieu de la poutre émerge une boule de cheveux multicolores. Soudain, dans cette masse confuse, Gédémo reconnaît des tresses, deux longues tresses se croisant sur la tête. Le cœur plein d'espoir, il s'avance sur la poutre glissante. Il ne s'est pas trompé. C'est bien Toutilla qui dort dans ces décombres. Entouré d'un halo de lumière, son visage repose sur un morceau de bois. Gédémo reste un moment à contempler le paisible sommeil de son amie en répétant :

« Vivante ! Dieux immortels, elle est vivante ! »

Puis il se penche vers elle et appelle :

« Toutilla ! Toutilla ! »

Toutilla ouvre les paupières d'un air extasié :

« J'ai vu les cieux ouverts et le Christ assis à la droite de Dieu. »

La joie cependant disparaît brusquement pour faire place à une grimace de douleur :

« J'ai mal, Gédémo, j'ai très mal.

— Attends. »

Gédémo déplace lentement la lourde poutre pour libérer son amie.

« Tu peux bouger ? » demande-t-il.

Mais Toutilla est totalement engourdie par l'humidité et la douleur. Elle essaie cependant de se soulever mais la souffrance lui arrache des larmes des yeux :

« Je n'y arriverai jamais ! dit-elle.

« — Laisse faire. »

Et avec une immense douceur, il soulève son amie et la porte dans ses bras. La tête de Toutilla repose sur son épaule. Gédémo, très ému, marche avec beaucoup de précaution dans le chemin des saules. Caton lui-même se tait. Il examine avec étonnement l'étrange silhouette de son maître qui tient dans ses bras une forme rouge, violette et jaune qui ressemble à Toutilla.

*

Toutilla dort toute la journée et toute la nuit suivante. Lorsqu'elle se réveille, le surlendemain, elle est allongée sur un lit de repos dans la salle centrale de la maison de son oncle. Elle se sent beaucoup mieux.

« Les remèdes de Bibulia ont fait merveille », se dit-elle.

En face d'elle se tient un jeune homme d'une vingtaine d'année : petit, les cheveux blonds frisés, l'air méfiant. Assis sur un tabouret, il ne quitte pas des yeux la dormeuse.

« Qui es-tu ? demande Toutilla, gênée par la fixité de ce regard.

— Je suis Brennos, un esclave de ton oncle. Je reviens de Lutétia où j'ai livré des tabliers de cuir et des sandales. Je demeure ici dans la soupente. »

Brennos a une voix saccadée et métallique, et Toutilla se sent mal à l'aise. Elle éprouve pour cet inconnu une invincible répugnance.

« Cesse de me regarder comme cela », déclare-t-elle.

Brennos se met à ricaner longuement, comme une succession interminable de hoquets.

« Crois-tu que j'ai envie de te manger ? finit-il par demander.

Toutilla hausse les épaules et lui jette un regard noir.

« Je suis chargé de te surveiller, précise Brennos.

— Pourquoi ?

— Les dieux seuls le savent », dit-il avec un sourire malin.

Toutilla, exaspérée par le jeune homme, tente de sortir du lit. Mais son dos lui fait encore trop mal. Brennos ricane à nouveau :

« Tu vois, tu ne peux pas m'échapper. »

Troublée par cette affirmation, Toutilla regarde le visage allongé et sec du jeune homme. Et plus elle le regarde, plus elle pressent que l'esclave de son oncle lui apportera beaucoup de tourments.

*

Le soir, Bibulia et Sacrovir s'approchent de la niche des dieux lares, ouvrent la petite porte et déposent des grains d'encens et des fleurs.

« Nous demandons la protection des ancêtres de la famille pour que tu ne sois pas arrêtée comme tous tes chrétiens », explique Bibulia.

Toutilla hausse les épaules et soupire :

« C'est ridicule.

— Par Hercule, cesse de juger de tout, comme si toi seule avais toujours raison », s'exclame Sacrovir.

Bibulia est plus conciliante.

« Il faut être gentil avec tous les dieux. On ne sait pas lequel est le plus puissant. »

Puis s'approchant de sa nièce, elle ajoute :

« Tout ira bien quand le légat reviendra.

— Quand reviendra-t-il ?

— Dans une ou deux semaines. Vers les calendes de juin. D'ici là tu seras guérie. »

Puis elle va chercher une poignée de fèves cuites qu'elle donne à son mari :

« Va chasser les mauvais esprits, pour que notre petite Toutilla ne soit point en danger. »

Sacrovir prend les fèves dans sa main, referme soigneusement la porte et sort dans la nuit. Le quai des nautes de la Saône est désert et obscur. Seules les statues des corporations dressent leurs silhouettes dans la nuit étoilée. Lentement, l'une après l'autre, Sacrovir jette autour de lui les fèves magiques, afin de chasser loin de sa maison les mauvais esprits aux vengeances terribles.

5

Tumulte sur le forum

Au matin des calendes de juin, le chariot du légat franchit la porte d'Aquitaine. Le légat de Rome, gouverneur des Gaules, allongé sur une large banquette recouverte d'épais coussins de couleur, songe au plaisir de retrouver son palais après un long et fatigant voyage. Il contemple un moment la mosaïque qui décore le plancher de sa voiture et sourit de satisfaction, car c'est un homme raffiné et doux qui aime s'entourer de belles choses.

Toutefois le cours heureux de ses pensées est troublé par des clameurs dont il ne perçoit pas le sens.

Le légat tire le rideau pour découvrir la cause de ce désordre : la rue d'Aquitaine, pourtant large de quarante pieds, est bloquée par une grande foule qui se tient près de son palais. À sa tête se dresse le tribun qui s'avance aussitôt vers lui.

« Que se passe-t-il ? Que me veut-on ? demande le légat mécontent d'une arrivée aussi tumultueuse.

— Le peuple t'attend pour juger les chrétiens.

— Les chrétiens ! s'étonne le légat. Mais qu'ont-ils fait ?

— Ils ont empoisonné l'eau, coupé l'aqueduc, provoqué la colère des dieux. »

Et le tribun lève un doigt vengeur vers le ciel :

« Depuis trois mois, pas une goutte de pluie n'est venue arroser la terre de Lugdunum. »

Le légat réfléchit un bref moment et conclut :

« Il n'y a aucune raison de s'énerver ainsi. Dis aux habitants de Lugdunum que je ferai respecter la justice et les lois de Rome. »

Puis il reprend d'un ton agacé :

« En attendant, disperse la foule. Il est insupportable que je sois ainsi encerclé. »

La foule cependant ne bouge pas d'un pied, et le chariot a le plus grand mal à entrer dans le jardin du palais.

*

C'est avec plaisir que le légat retrouve le flamine qui, prévenu de son arrivée par un esclave, s'est précipité aux aurores dans le palais du gouverneur.

« Camulus, salut ! Explique-moi donc la cause de tout ce tapage.

— C'est au sujet de cette secte étrangère, celle qui adore un homme ressuscité. »

Le légat a un sourire moqueur :

« Hormis cette croyance extravagante, peux-tu me dire ce qu'ils ont fait de mal ?

— Rien. Mais le peuple les rend responsables de la sécheresse.

— Le peuple, reprend le légat avec un léger mépris, le peuple, je le ferai changer d'avis en lui donnant des jeux. »

Le flamine ne paraît pas convaincu.

« Ce ne sera pas si facile. Le tribun, les juges, les fonctionnaires ont pris le parti de la foule. Ils ont arrêté des malheureux pour que tu les juges dès ton arrivée. »

Le légat a un haut-le-corps :

« Je ne vais pas condamner des gens qui ne volent pas, ne tuent pas et ne fraudent pas le fisc.

— L'ennui est qu'ils refusent la divinité de l'empereur et qu'ils considèrent nos dieux comme des idoles.

— Que de soucis ! soupire le gouverneur. Pourquoi ces chrétiens font-ils tout pour se rendre insupportables ? »

La clameur s'élève à nouveau autour du palais. Au-dessus des massifs d'arbustes, des bâtons et des gourdins s'agitent avec fureur. Le légat considère un moment cette effervescence et conclut :

« Si tu veux mon avis, Camulus, cette plèbe ne quittera pas la rue d'Aquitaine tant que je n'irai pas au forum. Il faudra bien que je juge ces malheureux.

— Les condamneras-tu ?

— S'ils n'abjurent pas leur foi, certainement. C'est la loi. »

Puis il se tourne vers le flamine :

« Je crois qu'ils abjureront. Personne ne choisit de mourir s'il n'y est pas obligé. »

*

Avant que ne s'ouvre le procès, des augures, des prêtres spécialisés dans l'interrogation des dieux, cherchent à connaître leurs avis. Ceux-ci sont transmis par les oiseaux, selon la fréquence et la direction de leur vol dans l'espace sacré qui se trouve juste au-dessus du forum. Les augures ayant constaté que merles et corbeaux se sont par trois fois croisés au-dessus de la statue de Jupiter, déclarent la journée faste, et autorisent le procès.

Aussitôt un grand nombre d'esclaves s'affairent à dresser au milieu du forum une estrade de bois, car la basilique est trop petite pour un procès d'une telle ampleur.

La place se remplit rapidement. Toutilla se faufile au premier rang pour réconforter par sa présence les

malheureux prisonniers. C'est alors qu'elle voit
Gédémo venir vers elle, l'air très en colère :

« Toi ici ! Pourquoi ? demande-t-il sèchement.

— Pour être près de mes frères quand ils seront
jugés.

— Stupide. Tu seras arrêtée. »

Toutilla, déconcertée par cet accueil, lève des yeux peinés vers Gédémo qui continue à défendre son point de vue :

« Inutile de sauver ta vie. Tu fais tout pour mourir. »

Toutilla tente de s'expliquer à son tour :

« Tu dois comprendre que si mes frères souffrent, je souffre avec eux. Que tout ce qui arrive à l'un arrive aussi à l'autre. Car nous sommes tous unis dans l'amour du Christ.

— M'est égal les autres », rétorque Gédémo, buté.

Toutilla s'énerve à son tour :

« C'est que tu es incapable d'imaginer ce qu'est l'amour pour les chrétiens.

— Non, j'imagine pas, et m'en vais », répond Gédémo furieux.

Et le garçon appelle Caton pour faire une randonnée à cheval.

*

Une heure plus tard, le légat s'installe au milieu de l'estrade, sur la chaise curule, qui est tout en ivoire. Avec une curiosité bienveillante il regarde s'avancer la vingtaine de prisonniers chrétiens que le tribun conduit sur la place. Ils sont amaigris et sales, le corps couvert de blessures mal cicatrisées. Le légat ressent à leur égard une vague compassion.

Le premier chrétien qui s'approche est un jeune

homme au visage doux et au corps marqué par la trace des verges.

« Comment te nommes-tu ? demande le légat.

— Marcurus, le puisatier.

— Tu es accusé d'être chrétien. L'es-tu ?

— Je le suis. J'aime et j'adore le seul vrai dieu. »

Le légat s'amuse de cette résistance inattendue.

« Sais-tu que, pour cette croyance, je peux te faire fouetter ? Je peux même te faire mourir.

— Je ne crains pas la mort. Notre Seigneur est ressuscité et ceux qui l'aiment ressusciteront avec lui. »

Le légat insiste cependant :

« Tu es jeune, Marcurus. Pourquoi mourir si tôt ? Il te suffit de jurer par César et de crier : "À bas les impies". Je te libérerai immédiatement.

— Je ne peux injurier le Christ, mon sauveur », répond doucement le jeune homme.

Alors le légat, fâché de son obstination, ordonne :

« Qu'on le ramène en prison. »

La foule accompagne cette décision de slogans meurtriers :

« À mort l'infâme ! Aux bêtes, le chrétien ! »

La petite « fouine » jette une pierre sur la tête du jeune homme qui se met à saigner, et le cœur de Toutilla se serre de douleur.

C'est au tour de Zénodore de s'avancer vers le gouverneur. Celui-ci ne peut retenir un mouvement de surprise, lorsqu'il reconnaît son médecin et ami parmi ce groupe impie.

« Est-il vrai, demande-t-il, que malgré ton savoir et ta sagesse, tu es chrétien ?

— Tu l'as dit, répond Zénodore. J'ai longtemps étudié toutes les sciences, et maintenant j'ai trouvé la vraie doctrine.

— Explique-toi davantage.

— La vraie doctrine est qu'il n'y a qu'un seul Dieu, qui a créé toutes choses. Et il a envoyé son fils pour nous sauver, son fils qui est mort et ressuscité.

— Ressuscité ! Vraiment ! La chose est prodigieuse ! » s'exclame le légat avec ironie.

Les yeux noirs de Zénodore étincellent.

« Pourquoi jugez-vous incroyable que Dieu ressuscite des morts ? Pourquoi gardez-vous des cœurs endurcis et des esprits fermés ? Ignorez-vous qu'ainsi vous provoquez la colère du seul et unique Dieu ? Craignez plutôt cette colère, car le jour du jugement, tous ceux qui persécutent le nom du Seigneur seront jetés dans les fournaises de l'enfer et rougiront éternellement dans les flammes. »

L'assistance frémit de rage en entendant un tel discours.

« Blasphème ! Outrage aux dieux ! Mettez-le à mort ! » hurle-t-on de tous côtés.

Une pluie de pierres s'abat sur Zénodore. Mais le grand médecin, aussi indifférent à cette grêle de pierres qu'à une chute de feuilles mortes, continue à crier :

« Le feu du ciel tombera sur la terre. Il ne restera rien de vos cirques et de vos palais. Alors le Seigneur, dans l'éclat de sa gloire, descendra sur la terre... »

Zénodore ne peut poursuivre sa harangue, car les deux « fouines » franchissent la ligne des gardes de la cohorte urbaine et l'assomment avec des gourdins.

*

Quelques heures plus tard, Toutilla, devant la porte de la prison, nettoie avec un linge blanc le visage et les mains des chrétiens que l'on ramène du forum. Épuisés, ils n'ont plus la force de parler, et se contentent de sourire faiblement. Toutilla étouffe difficilement les sanglots qui lui montent à la gorge. Une passante, touchée par ce spectacle, dit à son enfant :

« Regarde les chrétiens ! Vois comme ils s'aiment. »

Maintenant que tous les condamnés sont retournés dans la prison, Toutilla s'apprête à partir lorsqu'elle aperçoit, en haut du chemin, un petit groupe de gardes conduit par le tribun.

Celui-ci s'adresse au gardien :

« Je t'amène un autre prisonnier.

— Il y en aura beaucoup comme cela ? s'inquiète le gardien.

— Oui, beaucoup, dit le tribun en riant. Je m'occupe des dénonciations.

101

— C'est que la prison n'est pas très grande.

— Rassure-toi : on tuera tous ces chiens avant que ta prison ne déborde. »

Les gardes s'écartent pour découvrir leur prisonnier : c'est le vieil évêque Pothin, qui semble ne voir personne tant il est perdu dans ses prières. Toutilla se précipite vers lui :

« Père », murmure-t-elle.

Pothin lui jette un regard malicieux.

« Le diable fait ses affaires sur la terre. Mais toi et moi nous savons que ses jours sont comptés. Ses jours sont comptés et ils ne le savent pas ! »

Toutilla regarde bouleversée le vieux corps de quatre-vingts ans marqué par les coups et les pierres.

« Je vais aller en prison pour m'occuper de toi », dit-elle.

L'expression juvénile de l'évêque quitte aussitôt son visage.

« Que crois-tu, orgueilleuse ? Que c'est à toi de choisir le moment où tu dois souffrir pour le Christ ? As-tu oublié l'obéissance ? Fuis les persécuteurs comme il l'a demandé, et sers l'Église de toutes tes forces avec humilité. La gloire du martyre n'est pas donnée à tous. Maintenant, je te bénis, ma fille. Que le Seigneur te garde en sa miséricorde.

— Assez bavardé, entre », ordonne le tribun en le poussant par les épaules.

L'évêque le fixe d'un regard intrépide :

« Désormais la victoire et la puissance sont acquises à notre Dieu. »

Le tribun lui répond par une gifle magistrale. Le corps fragile et usé du vieillard ne résiste pas à la violence du choc, et Pothin s'effondre sur le sol.

*

Toutilla marche vite vers la maison de la clarissime pour l'avertir de l'arrestation de Pothin. Son cœur est rempli d'une tristesse insondable. Que va devenir l'Église de Lugdunum maintenant que l'évêque est prisonnier ? Tous les frères vont être séparés : les uns en prison, les autres dispersés et cachés pour éviter d'autres arrestations. Toutilla se sent soudain très seule. Même Gédémo s'est éloigné d'elle, agacé par sa foi en Jésus. C'est alors qu'elle entend :

« Toutilla... »

Lorsqu'elle se retourne, elle tressaille en reconnaissant l'esclave de son oncle.

« Pourquoi m'as-tu suivie en cachette ? » dit-elle d'un ton fâché.

Brennos prend une expression câline :

« Sœur, ton cœur est sévère pour ton frère.

— Tu es chrétien ! s'exclame Toutilla, horrifiée.

— Oui, reprend Brennos, d'un ton doucereux, nous adorons le même Dieu. »

Toutilla n'en croit pas ses oreilles.

« Alors que fais-tu ici ? demande-t-elle.

— Je vais, comme toi, chez Pompeia Paula. »

Puis, voyant l'air incrédule de la nièce de son maître, il ajoute :

« Pour parler du malheur qui s'abat sur nos frères et pour prier ensemble. »

Toutilla ne sait plus que croire ni penser. Brennos continue à l'entourer d'attentions.

« Ne reste pas sur la rue d'Aquitaine, elle est trop surveillée. Prenons ce chemin qui débouche derrière la demeure de Pompeia Paula. »

Toutilla s'engage sur le chemin désert qui traverse les jardins des belles demeures des fonctionnaires impériaux. Il fait doux et chaud. C'est l'heure du déjeuner, et des senteurs de boudin grillé et d'oiseaux rôtis parviennent jusqu'à ses narines. Soudain, Brennos lui saisit le bras :

« Qu'est-ce qui te prend ? Lâche-moi, s'écrie Toutilla qui ne supporte pas le contact de l'esclave.

— Qu'as-tu, sœur ? insiste Brennos. Tu ne veux pas me donner un baiser de paix ?

— Le baiser de paix se donne pendant la prière », rétorque Toutilla indignée.

Alors Brennos la serre très fort entre ses bras noueux en répétant :

« Je veux des baisers de paix, beaucoup de baisers de paix. Donne-m'en, je te prie, donne-m'en des milliers. »

Le dégoût et la peur submergent Toutilla. Serrant

les poings, elle se met à frapper Brennos de toutes ses forces, sur le dos, sur la nuque, sur la tête. Dès que le jeune homme tente de se dégager, elle lui envoie un coup de poing sur le menton, un autre sur la tempe, et un troisième au milieu de la figure. Le sang se met à couler aux lèvres de Brennos, qui émet un ricanement comme un long hoquet :

« Sale chrétienne, je me vengerai. »

Et il s'enfuit à toutes jambes.

Toutilla reste tremblante, tout étonnée par la violence avec laquelle elle s'est défendue. Elle s'assied sur le bord du chemin pour retrouver une respiration plus calme, et songe aux paroles du Seigneur :

« Eh bien, moi je vous dis : quelqu'un te donne-t-il un soufflet sur la joue droite, tends-lui encore l'autre joue. »

« Seigneur ! Je ne peux quand même pas laisser ce garçon ignoble me donner des baisers de paix ! »

Et, écrasée par l'émotion et son incapacité à suivre les conseils du Christ, elle se couche sur le sol pour sangloter longuement.

*

Lorsque Toutilla a retrouvé son calme, elle décide de quitter ce chemin isolé et de retourner sur ses pas. À peine a-t-elle débouché dans la rue d'Aquitaine, qu'elle voit les deux « fouines », des gourdins à la main, se précipiter sur un porteur d'eau qui tient ses amphores suspendues à son cou.

« Tu appartiens bien à Pompeia Paula ? demande l'un.

— Oui, répond l'esclave.

— Alors viens avec nous.

— Mais pourquoi ? demande le porteur ahuri.

— Ne pose pas de questions et dépêche-toi. »

Comme l'esclave, malgré ces injonctions brutales, s'apprête à continuer sa route, la grande « fouine » frappe une amphore qui éclate en morceaux tandis que l'eau se répand sur le sol.

« Si tu ne nous suis pas, c'est toi qui seras frappé à ton tour.

— Mais où m'emmenez-vous ? interroge l'esclave qui roule des yeux apeurés.

— Au forum, pour que tu aides la justice de l'empereur. »

Rassuré par le divin nom de l'empereur, l'esclave se laisse emmener par les deux étranges représentants de la justice impériale. Toutilla, pressentant quelque nouveau danger, suit le malheureux à distance.

*

Sur le forum, la foule est revenue, préférant aux comédies du théâtre et au plaisir des bains le divertissement du procès des chrétiens. Un murmure de satisfaction accueille les deux « fouines », lorsqu'ils poussent l'esclave affolé devant l'estrade des juges. Le légat de Rome, résigné à poursuivre les interrogatoires pour éviter des désordres dans la capitale des Gaules, joue son rôle avec application et ennui.

« Qui es-tu ?

— Je suis esclave chez Pompeia Paula. »

Le légat paraît surpris qu'une dame de rang sénatorial soit mêlée à une histoire aussi lamentable, et reprend ses questions :

« Qu'as-tu à me dire ?

— Mais rien, je n'ai rien à te dire », bredouille l'esclave affolé.

Le tribun survient aussitôt, la cuirasse rutilante et le visage furieux :

« Tu mens », assure-t-il.

Et il donne à l'accusé un grand coup de verge qui déchire sa tunique et zèbre sa peau. Puis, certain de l'efficacité de son geste, il reprend :

« Maintenant, dis au légat que Pompeia Paula est chrétienne ainsi que son esclave Blandine.

— Elles sont chrétiennes ! avoue l'esclave terrorisé.

— Jure-le, ordonne le légat.

— Je le jure par la fortune de César. »

Le tribun, triomphant, s'adresse à la foule :

« Il faut savoir les faire parler, ces chiens. Sinon on ne saura jamais rien de leurs infâmes mystères. »

Puis il se tourne à nouveau vers l'accusé :

« Maintenant raconte aux juges ce qu'elles font,

avant l'aube, à l'heure où les bons citoyens dorment encore ? »

L'esclave se met à trembler.

« Parle, dit le légat.

— Elles ne font rien », balbutie le porteur d'eau.

Le tribun fait un signe à deux gardes qui se trouvent à quelques pas de l'estrade. L'un saisit une barre de fer posée sur un large brasero et s'approche de l'esclave. Lentement il lève la barre rougie au feu puis la pose fermement sur son épaule. Le porteur d'eau pousse un hurlement de douleur.

« Je dirai tout ce que vous voudrez, gémit-il.

— Parle, répète le légat.

— Ils prennent des repas ensemble.

— Et que mangent-ils ?

— Ils mangent un corps et boivent son sang.

— Quel corps et quel sang ? interroge le tribun.

— Je ne sais pas.

— Ne serait-ce pas le cadavre d'un enfant mort ? suggère le tribun.

— Je ne sais pas », répète le malheureux.

La barre de fer rougie retombe sur son épaule. L'odeur de la chair brûlée se répand dans la place.

« Oui, s'écrie le porteur d'eau, c'est le cadavre d'un enfant mort. Puis ils s'embrassent, ils s'embrassent tous dans l'obscurité. »

Le tribun, certain de sa victoire, continue, impitoyable.

« Et le Dieu qu'ils adorent, n'est-il pas un âne ?

— C'est un âne ! Je l'ai vu », balbutie dans un san-
glot le pitoyable esclave.

Le légat fait une grimace de dégoût :

« Va-t'en, tu es libre », dit-il pour se débarrasser d'un interrogatoire aussi déplaisant.

L'esclave traverse la place, sous les quolibets de la population. Près de Toutilla, un enfant se met à pleurer :

« Je ne veux pas que les chrétiens me mangent !

— Pleure pas, bientôt ils seront tous tués », répond son père.

Toutilla se baisse vers le petit garçon dont les yeux bleus sont pleins de larmes.

« Ne crois pas ces mensonges, dit-elle. Les chrétiens sont très doux et ils aiment beaucoup les enfants. »

Le petit garçon lève un regard interrogateur.

« Tu ne mens pas ?

— Tu peux me croire. Je suis chrétienne. »

Le petit garçon, charmé par le doux visage de Toutilla, semble rassuré par ses paroles.

C'est alors qu'arrive sur la place, traînée par deux gardes, une femme débraillée et couverte de bleus. Elle s'avance vers l'estrade et se plante devant la chaise d'ivoire.

« C'est toi le légat de Rome ? »

Le légat hoche la tête. La femme se met à parler très vite :

« Par la fortune de César, je dénonce Luna, la servante du Coq, comme chrétienne. Elle se rend à des réunions secrètes où l'on adore un âne. »

Puis, effrayée par ses propres paroles autant que par la foule, la femme s'enfuit en courant.

*

Toutilla dégringole à toute allure le chemin du Rhin. Puis elle court le long de la Saône à en perdre le souffle. Pourtant lorsqu'elle arrive à la taverne du Coq, il est trop tard. Deux gardes viennent d'attacher les mains de Luna.

« Tu vas retrouver notre évêque », dit Toutilla pour lui donner du courage.

Mais Luna a un visage dur et fermé.

« Je suis quelqu'un de très ordinaire. Je veux vivre. Et surtout je ne veux pas du martyre.

— Tu n'as rien à craindre, Luna, explique Toutilla. Quand l'heure sera venue, le Seigneur te donnera la force. »

Luna fait une moue amère.

« Je ne crois plus à toutes ces promesses. »

Un garde prend Luna par le bras pour la faire avancer. La serveuse du Coq se retourne encore une fois pour crier :

« Je ne suis pas comme les apôtres ! Je n'ai pas reçu l'Esprit Saint ! »

Toutilla sent les larmes lui monter aux yeux tandis que Luna s'éloigne et disparaît dans la courbe du fleuve. Elle reste un long moment, immobile et désorientée, jusqu'à ce que résonne le carillon des bijoux de Bibulia.

« Tu es là, ma petite chérie. Par Lug, il ne t'est rien arrivé ! J'en étais certaine, tu sais. »

Comme Toutilla, encore troublée, la regarde d'un air absent, elle explique :

« J'ai caché près du temple de Jupiter une tablette d'envoûtement, qui doit te protéger. »

6

La poursuite

Le lendemain, à l'aube, Toutilla prie les bras levés dans sa petite chambre du premier étage, lorsque la porte s'ouvre brutalement. Bibulia, le visage couvert de « pommade de Poppée », les cheveux décoiffés, entre précipitamment.

« Ma petite chérie, j'ai reçu un avertissement du Ciel à ton sujet. J'ai rêvé que tu sortais du ventre d'une jument.

— Est-ce vraiment grave ? » demande sa nièce en riant.

Bibulia prend un air concentré et funèbre.

« Tu as tort de te moquer de ce présage. Un être

humain mis au monde par un animal est toujours signe d'un grand désordre sur la terre.

— Ce sont des superstitions ridicules.

— Ne ris pas, reprend Bibulia. Ta vie est certainement en danger aujourd'hui. »

Sacrovir, à son tour, montre sa tête à la porte.

« Sais-tu que Bibulia, à cause d'un songe, voudrait que je reste enfermée ici ? » lui dit Toutilla.

Sacrovir prend un air grave.

« D'abord, prends garde de ne pas insulter les grandes personnes. Ensuite, considère que Bibulia te donne un bon conseil. Renonce quelque temps à tes lubies. Il ne sert à rien de terminer sa vie de façon si affreuse. »

Toutilla cherche à couper court à ces discours importuns.

« Je ne vous obéirai pas. Je sais ce que je fais. Je tiens à suivre la route qui me plaît. »

Sacrovir hoche la tête avec regret.

« Vit-on jamais nièce plus obstinée ! »

Toutilla s'approche de son oncle.

« Comprends-tu que personne ne peut m'empêcher de retrouver mes frères ? Que personne ne peut me séparer de l'amour du Christ ?

— Alors, fais ce que désire ton Dieu. Mais si tu veux nous faire plaisir, à ta tante et à moi, reste encore un peu avec nous ce matin. J'enverrai Brennos faire le marché, et nous, nous ferons une petite partie de dés ensemble. Tu veux bien ? »

Comme Toutilla paraît surprise, il ajoute, avec une tristesse inhabituelle :

« C'est que nous craignons de ne plus te revoir à la maison. »

*

La foule est déjà très excitée par deux heures de procès lorsque Toutilla arrive sur le forum. Elle remarque vite au premier rang de l'assistance les « fouines » toujours promptes à relancer la fureur populaire, et Brennos qui traîne avant de retourner chez son maître. Quant au gouverneur, il s'ennuie.

« Et toi, es-tu chrétienne ? » répète-t-il.

En face de l'estrade se tient Blandine, l'esclave de la clarissime.

« Je suis chrétienne et je te remercie de me faire partager les souffrances du Christ. »

Le légat est visiblement agacé par des propos aussi inconvenants.

« Tu retourneras en prison.

— Tes paroles sont une musique céleste », répond Blandine.

Et sans attendre un garde, rayonnante de bonheur, elle va rejoindre le tribun.

C'est alors qu'on conduit devant l'estrade, la

tunique en désordre, les cheveux emmêlés cachant son visage baissé, une personne inconnue.

« Regarde le gouverneur », lui ordonne un garde en lui donnant un grand coup dans le dos.

La jeune fille relève ses cheveux et beaucoup poussent un cri de surprise en reconnaissant Luna. La serveuse du Coq, qui servait si joyeusement la cervoise et la charcuterie, a les traits déformés par la frayeur.

« Es-tu chrétienne ? demande le légat.

— Non, affirme Luna d'une voix sourde. Je ne suis pas chrétienne, je ne connais pas de chrétiens, je n'en ai jamais vu.

— Jure-le par César.

— Je jure par César, par Jupiter Très Bon et Très Grand, que je ne suis pas chrétienne et que je n'ai jamais fréquenté leurs réunions secrètes.

— Elle ment ! Je l'ai vue près de l'âne chez Pompeia Paula, crie la petite "fouine".

— Qu'on la confronte à un de ses frères ! » s'égosille son voisin.

Le légat fait un signe au tribun, et Cornélius, le sculpteur du flamine, est conduit à son tour devant l'estrade.

« Connais-tu cette femme ? demande le gouverneur des Gaules en lui montrant Luna.

— Non, assure Cornélius d'une voix ferme.

— À ton avis, est-elle chrétienne ?

— Je l'ignore.

116

— Comment peux-tu l'ignorer puisque tu es chrétien toi-même ?

— Je ne suis pas chrétien et ne sais rien de ces impies. »

Cornélius parle avec une telle conviction que le légat paraît perplexe :

« Pourtant on t'a dénoncé comme appartenant à cette secte étrangère ! »

Alors Cornélius perd son sang-froid et se met à hurler :

« On t'a trompé ! On t'a menti ! On s'est moqué de toi ! Je ne suis pas chrétien. »

Et comme le légat ne répond rien, le sculpteur s'affole :

« Fais-moi brûler de l'encens sur l'autel de Jupiter, fais-moi jurer par notre divin empereur, mais relâche-moi, relâche-moi. »

Les rires et les sarcasmes de la populace pleuvent sur les deux suspects que la peur rend ridicules. Toutilla essaie de ne plus entendre leurs invectives. Elle pense qu'une fois de plus le Christ est rejeté et abandonné, une fois de plus bafoué et méprisé.

Devant l'estrade, Luna et Cornélius attendent leur libération. Le légat laisse tomber avec indifférence :

« On vous interrogera une autre fois, un autre jour. D'ici là, vous aurez peut-être changé d'avis.

— Et en attendant ? demande Cornélius.

— En attendant, vous irez en prison. »

Et le légat fait signe au tribun d'emmener les condamnés et d'introduire le prochain accusé.

Luna devient pitoyable. Après ce reniement inutile, elle est accablée par la honte et la terreur. Honte d'avoir parjuré sa foi, terreur des tortures qui vraisemblablement accompagneront le prochain interrogatoire. Elle cherche du regard l'appui et l'affection de ses frères, enchaînés près du tribun. Mais Blandine sourit aux anges dans ses prières. Quant aux autres, bouleversés et scandalisés par ce qu'ils viennent d'entendre, ils évitent de regarder les renégats.

Se sentant abandonnée de tous, du Dieu qu'elle a trahi, des frères qu'elle a reniés, Luna, habituée à être populaire et joyeuse, est saisie d'un brusque accès de démence. Son visage devient couleur de terre, ses mains tremblotent comme celles d'une vieille femme, et ses yeux hébétés parcourent le forum comme s'ils ne voyaient rien. Alors Toutilla, le cœur brisé par tant de détresse, traverse la place en courant pour rejoindre le groupe de chrétiens.

« Luna, dit-elle, en lui prenant les mains, Luna, tu es toujours notre sœur, tu es toujours chrétienne. Tu n'es pas la première à avoir, un instant, renié notre Seigneur. D'autres, plus forts que toi, l'ont aussi fait. Souviens-toi de l'apôtre Pierre. Le Christ, pourtant, lui a gardé son amour, il lui a même confié son Église.

— Imbécile, tais-toi et va-t'en ! Sinon ils vont te prendre, toi aussi », lui dit Cornélius d'un ton glacial.

118

L'assistance s'étonne de la scène, lorsqu'un long hennissement attire son attention. C'est Gédémo qui franchit à cheval la porte monumentale du forum, vêtu avec son habituelle élégance de braies couleur de myrte et d'une tunique couleur cerise. Le cavalier, désinvolte, lève la main pour saluer le forum tout entier. Le peuple de Lugdunum, à son tour, salue le fils du flamine, car chacun aime ce garçon intrépide dont les occupations principales sont la chasse et la course de chars.

« Hé ! Gédémo, crie l'un, tu veux chasser les chrétiens ? Ils sont aussi coriaces qu'un sanglier !

— Méfie-toi, ajoute un autre, ils ressuscitent dès qu'on les a tués. »

Gédémo confie son cheval à un esclave et se mêle à la foule. Prudemment, il se rapproche des condamnés près desquels se tient Toutilla. À quelques pieds plus loin, un enfant, le petit garçon aux yeux bleus, tire avec obstination la tunique du tribun.

« Que veux-tu ? » finit par demander le tribun, agacé par le geste de l'enfant.

Le petit garçon montre Toutilla en disant :

« Elle est très gentille. Elle ne mange pas les enfants.

— Pourquoi mangerait-elle les enfants ? grommelle le tribun.

— Elle est chrétienne et elle ne mange pas les enfants. »

Le tribun réfléchit un moment, pour bien comprendre ce qu'il vient d'entendre, puis il se tourne vers Toutilla :

« Tu es chrétienne, toi aussi ? »

Toutilla n'a pas le temps de répondre. Une main ferme la saisit par le poignet et l'entraîne dans la foule.

Furieux, le tribun s'écrie :

« Arrêtez la nièce de Sacrovir ! Arrêtez-la ! Elle est chrétienne ! »

L'assistance s'agite en mouvements divers. Profitant de cette confusion, Gédémo tire Toutilla au fond des portiques, où règne une relative pénombre. Ils longent ainsi les murs de la basilique, puis ceux de la curie et arrivent enfin au fond du forum. Là, se trouve une porte élégamment sculptée, qui conduit au palais impérial. Un garde en défend l'entrée.

« Laisse passer. Caius Julius Gédémo », dit le garçon dans l'espoir d'intimider son interlocuteur par le prestige de son nom.

Le garde balance un moment le pour et le contre. Toutefois Gédémo trouve qu'il tergiverse trop longtemps et sans tarder davantage le repousse d'un geste énergique. Le garde en tombe sur le derrière et les deux amis franchissent la porte impériale qu'ils referment derrière eux.

Le palais est tranquille en l'absence de son propriétaire. La plupart des esclaves sont sur le forum pour s'amuser du procès des chrétiens. Une vieille femme plume une oie au soleil, rangeant soigneusement les plumes dans un grand panier d'osier.

« Par-derrière », décide Gédémo.

*

Derrière le palais impérial, la colline du forum retombe brutalement sur la Saône. La pente est si raide que ni maison ni muraille ne peuvent se tenir sur le flanc de la colline. Seuls, ici et là, quelques arbustes malingres tendent vers le ciel leurs bras noueux et chétifs.

Les fuyards commencent prudemment à descendre la pente, lorsqu'ils entendent des cris :

« Cherchez-les ! Dans le palais ! Derrière le palais !

— Ils vont nous rattraper, déclare Toutilla. Ce n'est pas la peine de fuir plus longtemps.

— Se battre, toujours se battre », répond Gédémo avec autorité.

Et il montre du doigt le réservoir d'eau de l'aqueduc du Gier qui dessert le palais de l'empereur.

« Là-haut ! » explique-t-il, ravi de cette nouvelle aventure.

Toutilla examine l'unique bâtiment qui surplombe la falaise escarpée. Il est en briques et haut de plus de cinquante pieds.

« Jamais je ne pourrai monter ! » se dit-elle.

« Viens », dit le garçon en la tirant par la main.

Déjà Gédémo se met à grimper, souple et agile

comme un chat. Après avoir franchi vingt pieds il scrute les environs. Dans le palais, des groupes surexcités entrent dans toutes les pièces, ouvrent les lourdes armoires et les coffres de cuivre, et déplacent les lits. À ses pieds, Toutilla n'a pas bougé d'un pouce.

« Dépêche-toi, par Mars », dit-il mécontent.

Puis, se reprenant aussitôt, il ajoute d'un ton encourageant :

« Facile, très facile. »

La brique heureusement est irrégulière. Toutilla monte lentement, calant bien ses pieds et ses doigts aux aspérités du mur.

Lorsque Gédémo arrive en haut du réservoir, il remarque des silhouettes qui s'éparpillent à leur recherche tout le long de la falaise.

« Dépêche-toi », insiste-t-il, agacé par la lenteur de son amie.

Toutilla monte avec peine, luttant contre le vertige. Ses mains et ses pieds se mettent à trembler dès qu'ils se cramponnent trop longtemps à une aspérité. Heureusement, lorsqu'elle se trouve suffisamment haut, Gédémo attrape le poignet de la mauvaise grimpeuse, et la tire d'un geste énergique jusqu'au bord du réservoir.

Le mur du réservoir est très large et très épais, afin de résister à la pression de l'eau. Entre les deux parois, extérieure et intérieure, qui sont construites en briques, il est comblé par des graviers qui descendent

en pente douce. Aussi Gédémo et Toutilla s'étendent de tout leur long.

« Sieste ! Bonne sieste ! » dit Gédémo en s'étirant au soleil.

En regardant le ciel, Gédémo songe qu'ils ont fait une bonne farce aux gardes de la cohorte qui les cherchent partout. Toutilla pense aux ruses qu'ont inventées les chrétiens pourchassés, et particulièrement à l'apôtre Paul que ses disciples descendirent dans une corbeille le long de la muraille de sa prison.

La sieste toutefois est dérangée par l'apparition, sur le bord extérieur du réservoir, du sommet d'une échelle de bois qui cherche un point d'appui.

« Ils viennent. On se cache. »

Toutilla est lasse de cette poursuite épuisante.

Au centre du réservoir rectangulaire se trouve la réserve d'eau qui affleure, quelques pieds en contrebas.

« Plonge », ordonne Gédémo en s'exécutant aussitôt.

Toutilla le suit timidement. L'eau est froide et perpétuellement agitée par un courant qui l'entraîne vers le fond du bassin, là où elle est répartie dans plusieurs canalisations qui la distribuent dans le palais et sur le forum. Toutilla grelotte et a du mal à se maintenir contre la paroi sans se laisser déporter.

Les gardes sont arrivés en haut du réservoir. Ils sont deux. En se hissant sur les bras, Gédémo peut les voir explorer l'horizon. Plusieurs fois ils font le tour du réservoir, scrutant le palais, la ville haute, la falaise et les nautes de la Saône.

« Si tu veux mon avis, dit l'un, ils sont bien loin d'ici.

— Le tribun ne manque pas d'audace, de nous faire grimper jusque-là », constate l'autre.

Le second garde essuie la sueur de son front et suggère :

« Que dirais-tu d'une petite partie de dés, pour se reposer ? »

L'autre approuve aussitôt. Et les deux gardes cherchent l'endroit le plus confortable. Ils choisissent le mur qui est à l'opposé de l'échelle, face au soleil et surplombant les jardins de la ville haute.

« Je mets un as », dit le premier.

Lorsque Toutilla entend le dé de pierre rouler sur la brique elle pâlit.

« Je ne peux plus attendre », murmure-t-elle.

Voyant que son amie a du mal à maintenir sa tête hors de l'eau, Gédémo décide de prendre tous les risques. Il se hisse hors du bassin et rampe sur le mur jusqu'au bord extérieur. Dans le palais et sur la falaise, tout est redevenu tranquille et silencieux. Le garçon décide donc de mettre son plan à exécution : aider Toutilla à rejoindre l'échelle pour redescendre à terre au plus vite.

Dès que Toutilla est sortie du bassin, les deux amis

rampent à nouveau sur les graviers, tout en surveillant du coin de l'œil les gardes qui leur tournent le dos. Soudain, ils arrêtent leur prudente reptation, en entendant :

« Tu as triché ! Je ne joue plus. »

Et de colère, le garde saute sur ses pieds.

« Bonne foi des citoyens, s'écrie l'autre, pourquoi m'insultes-tu quand la faveur des dieux me protège ?

— Tu es un coquin qui m'arracherait mon dernier as ! La malice faite homme !

— Misère ! s'écrie l'autre en se relevant à son tour. Tu es assommant à te méfier sans cesse ! »

Les deux gardes, debout, se dévisagent avec fureur, tandis que Toutilla voudrait se fondre avec les graviers.

« Je n'ai pas triché. Je te le jure, dit le deuxième garde.

— Je crois que tu mens.

— Je te le jure par Jupiter Olympien.

— Tu oses invoquer Jupiter Olympien ? » s'indigne une dernière fois le joueur susceptible. Puis il ajoute, conciliant :

« On en refait une. Je mets cinq as. »

Les deux gardes s'asseyent à nouveau et le dé recommence à tinter joyeusement sur la brique. Les amis reprennent leur reptation.

Enfin Gédémo tient fermement l'échelle sur laquelle Toutilla se glisse épuisée. Bientôt ils sont sur la terre ferme. Toutilla a les dents qui claquent, de peur rétrospective. Gédémo commence à remuer l'échelle.

« Que fais-tu ? demande Toutilla.

— Farce ! Bonne farce ! »

Et avec beaucoup de soin, il retire l'échelle et l'allonge sur le sol contre le mur du réservoir.

*

Tout l'après-midi, les deux amis, blottis contre un rocher de la falaise, attendent le retour de la nuit. Le vent leur apporte la voix des gardes qui jurent par tous les dieux de l'empire en redescendant, avec difficulté, le mur de briques du réservoir. Puis le silence les entoure à nouveau. Tout est incroyablement calme après le tumulte de la matinée. À leurs pieds, la Saône et le Rhône se rejoignent paisiblement, égayés par des voiles de toutes couleurs. À Condate, l'amphithéâtre resplendit au soleil couchant près des deux victoires ailées qui surplombent le temple de Rome et d'Auguste. Des corbeaux, familiers de ces rochers déserts, viennent se poser en larges vols, puis repartent soudainement selon un incompréhensible caprice. Toutilla murmure des prières auxquelles Gédémo ne comprend rien.

« Je ne peux retourner chez Sacrovir, finit par dire Toutilla.

— Chez ma mère. Très gentille. »

À l'heure où l'on allume les lampes, Gédémo et Toutilla redescendent dans la ville. Les rues sont désertes à l'heure du souper. Bientôt ils atteignent la demeure où, depuis son divorce, habite Sélané. La maison, située dans l'île de Canabae, appartenait à un chirurgien spécialiste des yeux, appelé à Rome pour ses grandes compétences. La décoration de la maison est à la dernière mode romaine : les fresques des murs dessinent des fenêtres en trompe l'œil, ouvertes sur des paysages de forêt ou de campagne.

Sélané a un visage beau et triste qu'éclaire souvent un sourire indulgent.

« Tu peux rester ici, Toutilla. Je ne suis pas chrétienne, mais je pense qu'on a tort de vous persécuter. Vous ne faites rien de mal.

— As-tu des nouvelles de mes frères ?

— Qu'ils aient ou non renié leur foi, ils sont tous en prison.

— Ont-ils faim ? Ont-ils froid ? s'inquiète Toutilla.

— Je leur porterai des couvertures, et du pain et du jambon. »

Puis, pour chasser de noires pensées, elle ajoute :

« Que les dieux et les hommes t'évitent de terminer ta vie de si atroce façon. »

Pendant que les esclaves de sa mère s'affairent autour de Toutilla, pour la baigner, lui laver les cheveux, la vêtir d'une tunique propre et d'un manteau léger, Gédémo arpente le jardin au bord du Rhône. Le moment lui paraît venu de déclarer son amour. Même s'il doit encourir la colère de son père, il veut garder auprès de lui, toute sa vie, le doux sourire et la petite lumière de joie qui brille dans les yeux de Toutilla. Toutefois Gédémo se sent timide et gauche. Pour se donner de l'assurance, il se répète la phrase de Cicéron, celui dont l'éloquence, selon son père, charmait toujours les cœurs et les esprits.

Enfin Toutilla sort de la maison dans un manteau rose foncé et le rejoint sur la rive du fleuve. La lune est toute ronde et son reflet semble danser sur les risées de l'eau. Soudain Gédémo déclare d'un seul trait :

« Jusques à quand, enfin, Toutilla, abuseras-tu de la patience de mon amour ? »

Son amie se retourne, l'air absolument stupéfait.

« Je t'aime », répète Gédémo dans un langage plus simple à comprendre. Et il sort de sa poche un anneau d'or qu'il tend à Toutilla.

« Pour toi », dit-il.

Toutilla saisit l'anneau sur lequel est écrit : « Je pense à toi, pense à moi, et je t'aime. »

Toutilla prend doucement la main de Gédémo, et lui dit :

« Tu sais que je suis chrétienne.

« — Alors ? » demande le garçon.

Toutilla sourit gaiement :

« Alors je ne porte pas de bijoux. Je n'ai pas besoin d'un anneau d'or pour penser à toi. »

Gédémo scrute anxieusement le visage de son amie pour deviner le fond de ses pensées.

« Alors ? » répète-t-il.

Toutilla a un petit sourire triste :

« Alors, tu n'es pas chrétien !

— T'aime quand même, constate Gédémo.

— Je ne peux épouser quelqu'un qui ne partage pas ma foi. »

Quoiqu'il ait déjà envisagé cette réponse, Gédémo est accablé de l'entendre vraiment. Il se sent, d'un seul coup, abandonné et inutile.

« Elle ne m'aime pas, ne m'aime pas », répète-t-il à voix basse.

Toutilla essaie de s'expliquer.

« J'aime le Christ plus que tout au monde, plus que mon père et ma mère s'ils vivaient encore, et aussi plus que toi. »

Gédémo se contente d'avouer pitoyablement :

« Suis malheureux. »

Toutilla a vers lui un élan de tendresse :

« Gédémo, je suis ton amie, pour toujours.

— Prouve-le. »

Toutilla reste perplexe devant une telle demande.

« Demain, pas de forum, propose Gédémo. Tu restes ici. »

Toutilla, attendrie par cet ami qui se donne tant de peine pour lui sauver la vie, se met à rire :

« Je te le promets. Demain je resterai dans cette maison. »

... ...
... ...

7

La vengeance
de Brennos

Pendant que Toutilla et Gédémo s'ouvrent leur cœur, Brennos quitte la maison de son maître par l'échelle de bois. Il marche nerveusement et sans but le long des quais de la Saône. Il est tourmenté par la jalousie. Sur le forum, il a vu Gédémo s'approcher de la nièce de Sacrovir et l'entraîner par la main, et il a deviné aussitôt leur amour. Et cet amour est pour lui un scandale.

Dans son esprit surchauffé par la rage et l'envie, surgissent des images où les cheveux éclatants de Gédémo, son regard, son élégance, se mêlent au doux sourire et aux yeux pervenche de Toutilla. Ces images sont insupportables. Brennos décide donc de dénoncer celle qui lui a refusé des baisers de paix pour en

donner à un autre. Encore faut-il découvrir où elle se
trouve.

« Cherchons Gédémo, se dit Brennos, il me
conduira à la cachette de cette garce chrétienne. »

Devant la maison de Caius Julius Camulus, deux
esclaves, tenant des torches allumées, bavardent sur le
seuil.

« J'ai un message urgent pour Gédémo, déclare Brennos.

— Gédémo ! Il n'est point rentré souper.

— Il faut que je lui parle, insiste Brennos.

— Tu attendras, répond nonchalamment le deuxième esclave. Car les dieux seuls savent où il se trouve.

— Il ne devrait pas tarder. Son chien Caton a eu une indigestion ce matin. Il viendra certainement lui rendre visite. »

Brennos se sent nerveux de ces contretemps :

« Je ne peux pas attendre comme un chien ! » déclare-t-il sèchement.

Les deux esclaves s'étonnent de son irritation.

« Tu es comme une souris dans un pot de chambre ! dit l'un.

— Par Mars, tu nous agaces, renchérit son compagnon. Ne reste pas ici. Tu n'as qu'à aller voir chez sa mère.

— Où demeure-t-elle ?

— Dans l'île de Canabae. La maison du chirurgien des yeux. »

*

La maison de Sélané est obscure et endormie. Brennos décide de faire le guet et s'assied par terre près de la porte d'entrée. Il essaie de lutter contre le sommeil, mais ses paupières s'alourdissent, sa tête bourdonne, si bien qu'il finit par s'allonger en tirant son capuchon sur son visage pour dormir plus confortablement.

C'est le galop d'un cheval qui le réveille. Juste à temps pour apercevoir, sur les pâles et dernières étoiles de la nuit, les couleurs flamboyantes d'un jeune cavalier qui bientôt disparaît au bout de l'île. Brennos se frotte les yeux, retrouve ses esprits et émet un long ricanement :

« Je sais où tu te caches, petite Toutilla », murmure-t-il.

*

Après avoir récupéré Caton qu'une journée de jeûne et quelques plantes ont guéri de son indigestion, entouré par sa meute, Gédémo galope dans les hautes futaies des Gaules. Il est heureux d'être seul. Il ne veut plus songer à celle qui a refusé son amour, il ne veut plus sentir dans sa poitrine cette petite boule doulou-reuse qui ne l'a pas quitté de la nuit, il veut oublier enfin ces assommantes histoires de chrétiens. Pour-quoi sa vie, si facile, si heureuse, entre la chasse et les courses de chars, est-elle devenue brusquement si compliquée ? Et pour chasser tous ces soucis, Gédémo ne s'intéresse plus qu'à l'air frais du matin qui fouette son visage, à son cheval souple et puissant qui obéit au moindre geste, au sanglier que bientôt il va débusquer dans la forêt.

Au sud de la ville haute, dans la caserne de la cohorte urbaine, Brennos se plante fièrement devant le tribun.

« Je l'ai trouvée.

— Qu'est-ce que tu as trouvé, oignon frisé ?

— Celle que tu cherchais hier, dans le palais impérial : la nièce de Sacrovir. »

Dans les yeux du tribun brille un éclair de convoitise.

« Heureux soit l'empereur, père de la patrie ! s'écrie-t-il. Où est-elle ? »

Brennos veut profiter de l'impatience de son interlocuteur.

« À quel prix estimes-tu mon zèle et mon dévouement ? »

Le tribun le toise avec dédain :

« Coquin ! Toi aussi tu ne t'intéresses qu'à l'or !

— Par la bonne foi du peuple romain, c'est pour l'offrir sur l'autel de Jupiter », explique Brennos avec humilité.

Le tribun lui donne cinq sesterces.

« Tu n'auras rien de plus. Et maintenant dis-moi immédiatement où elle se trouve, sinon je te tords le cou.

— Suis-moi », dit Brennos.

*

Dans la petite maison de chasse que possède son père au milieu de ses vastes forêts, Gédémo revêt son équipement. Il attache de belles jambières de cuir rouge faites dans l'atelier de Sacrovir, se couvre le torse d'une cotte de mailles, accroche un coutelas et un glaive à sa ceinture, saisit un épieu et jette un large et fort filet sur son épaule. Puis il se tient sur le seuil de la porte pour écouter les bruits de la forêt. Tout est calme et tranquille. Les oiseaux se réjouissent des premiers rayons du soleil, quelques bruits furtifs trahissent le passage d'un lièvre ou d'un lapin. Gédémo se tourne en riant vers son bouledogue :

« Jusques à quand, enfin, Caton, ce sanglier abusera-t-il de notre patience ? »

Le sanglier n'abuse pas longtemps, car on entend au loin les chiens de meute qui aboient d'une manière lamentable. Caton dresse aussitôt sa longue queue touffue et ses courtes oreilles tandis que Gédémo saute sur son cheval. L'animal galope à toute vitesse dans les chemins forestiers, suivi par Caton dont le corps trapu est incroyablement rapide.

Maintenant proches, les cris plaintifs se transforment en aboiements excités. Gédémo rejoint vite, dans une petite clairière entourée de chênes vénérables, les quatre chiens de meute qui tournent comme des fous autour d'un sanglier. Aussitôt Gédémo brandit son épieu, fonce vers l'animal et le frappe au cou. Mais la blessure n'est pas mortelle et le sanglier, furieux, se retourne aussitôt vers son adversaire qu'il poursuit à son tour.

Gédémo a juste le temps d'arrêter son cheval pour faire volte-face. Mais le cheval, voyant le sanglier se précipiter dans ses pattes, se cabre violemment pour l'éviter et jette à terre son cavalier.

Maintenant Gédémo, le glaive à la main, fait face au sanglier. Celui-ci s'élance avec une telle fureur que le garçon n'a que le temps de sauter sur le côté sans même essayer de le blesser. À nouveau Gédémo et l'animal se tiennent tête. Les chiens de meute font autour d'eux un charivari épouvantable. Passant d'un pied sur l'autre, prêt à bondir, le glaive à la main, Gédémo attend le moment de frapper. Cependant Caton, par avancées prudentes, vient mordre habilement le derrière du sanglier qui, exaspéré, se retourne brutalement. Aussitôt, Gédémo, changeant de stratégie, dénoue le filet qu'une ficelle retient autour de sa taille, et, d'un large geste, le lance sur l'animal.

« Victoire ! » s'écrie-t-il.

En écho, Caton lance un aboiement de triomphe. Les chiens de meute jappent en chœur.

Le malheureux sanglier se débat comme un diable. Son vainqueur, tournant autour de lui, le frappe avec son glaive pour lui faire perdre son sang et sa force. Longtemps le sanglier lutte contre la prison invisible qui empêtre ses mouvements. Gédémo, sans le blesser davantage, regarde la bête qui lutte sans relâche jusqu'au dernier moment. Il songe à cet exemple de courage, à cette volonté de se battre, de se battre jusqu'à la fin. Mais soudain, la vision de Gédémo se brouille et à la place de l'animal empêtré dans les mailles, il voit Toutilla, Toutilla avec ses longues nattes, ses yeux pervenche et son corps gracieux, enfermée elle aussi dans une prison de cordage. La vision devient de plus en plus surprenante : Toutilla, toujours enserrée dans les grandes mailles noires, s'élève entre les arbres, et se met à monter et à redescendre comme un ballon qui rebondit. Les mouvements deviennent de plus en plus lents. Puis la petite lumière qui brille dans les yeux de son amie s'agrandit, s'agrandit et se transforme en soleil. Gédémo sursaute brusquement.

« Toutilla est en danger. Revenons immédiatement », explique-t-il à Caton.

Et sans se soucier davantage du sanglier qui agonise, Gédémo saute à cheval et rappelle ses chiens.

*

Lorsque Gédémo débouche comme un fou sur le forum bondé, il aperçoit Toutilla, debout devant le légat, et l'entend dire :

« Je suis chrétienne. J'aime et j'adore le seul vrai Dieu.

. — Pourquoi ne pas m'obéir et te sauver en disant : Seigneur César ?

— Il faut obéir à Dieu plutôt qu'aux hommes. »

Le légat, attendri par sa jeunesse et sa grâce, insiste cependant :

« Aie pitié de ton âge, de ta vie encore dans l'enfance. Sacrifie aux dieux et tu deviendras une protégée de l'empereur et de ses amis. »

Toutilla sourit doucement :

« Tu ne pourras ni m'ébranler par tes menaces, ni me séduire par tes promesses. »

Le légat hoche la tête d'un air navré :

« Sais-tu que tu risques d'être torturée sans miséricorde ?

— Souffrir à cause de notre Seigneur est notre plus grand désir. »

Le légat s'écrie avec colère :

« Si vous tenez tant à mourir, il y a des cordes pour vous pendre ! »

Et s'adressant au tribun, il ajoute :

« Qu'on la conduise en prison ! »

Alors Gédémo s'avance devant l'estrade :

« Pas le droit ! Pas le droit ! Pas d'avocat. »

Le légat s'amuse de l'intrusion inattendue de ce garçon vêtu de jambières de cuir rouge, d'une cotte de mailles, portant encore glaive et coutelas à la ceinture.

« Toi aussi, tu es chrétien ? demande-t-il en riant.

— Non. Mais pour un accusé, faut un avocat.

— Et tu voudrais être l'avocat des chrétiens ? reprend le légat d'un ton ironique. Ils seraient bien défendus ! Un avocat qui ne sait pas tourner habilement la moindre phrase ! »

Puis, reprenant un ton sévère, il ajoute :

« Maintenant laisse-moi exercer la justice, et retourne chasser ton sanglier. »

Gédémo baisse la tête. En s'éloignant de l'estrade il voit Toutilla disparaître avec deux gardes, et des larmes de rage et de douleur emplissent ses yeux.

À la porte du forum, sa mère le rejoint.

« Pourquoi Toutilla est sortie ? demande-t-il.

— Elle est restée, explique Sélané. Mais le tribun et un esclave nommé Brennos sont venus la chercher. Je n'ai pu empêcher cette infamie.

— Brennos, l'esclave de Sacrovir ? interroge Gédémo.

— Peut-être. Un petit blond frisé. »

Gédémo reste un moment silencieux et sombre, répétant à voix basse :

« Brennos... Brennos... »

Puis, brusquement, il lève vers le ciel un poing impitoyable et hurle à tue-tête :

« Le tuer ! Le tuer ! Je vais le tuer ! »

Autour de lui les passants le regardent comme s'il était devenu fou.

*

Le gardien, une torche à la main, fait entrer Toutilla dans la salle circulaire de la prison. Parmi les condamnés de toutes origines, Toutilla reconnaît la clarissime, Zénodore, les jumeaux et Marcurus plus blanc que les falaises de Lugdunum. Elle a à peine le temps de leur sourire que le garde la pousse dans un étroit escalier de pierre qui conduit à une salle souterraine où est parqué le reste des chrétiens. En un instant elle est jetée contre la muraille, attachée par un fer qui blesse sa cheville, tandis que la fumée de la torche lui pique les yeux. Le garde repart dès que son travail est terminé.

L'endroit est complètement obscur. Il fait froid. Toutilla sent dans son dos des gouttes suinter de la roche tant est grande l'humidité qui provient du Rhône tout proche.

« Est-ce bien toi, Toutilla ? demande à côté d'elle la voix joyeuse de l'évêque.

— C'est moi, père. Quel bonheur de te retrouver ! J'ai été dénoncée. »

Un silence étrange retombe sur la pièce. Enfin Toutilla entend la voix de Luna :

« As-tu renié le Christ ?

— Car l'air est infect ici pour ceux qui ont trahi », ajoute Cornélius.

Une voix que Toutilla ne reconnaît pas s'exclame :

« Arrière, renégats ! »

Luna se met à pleurer avec de fréquents reniflements très agaçants.

« Arrête de pleurnicher, dit un autre. C'est assez humide ici comme cela. »

À nouveau la voix pleine d'allégresse de Pothin s'élève dans la pièce.

« Restez unis, mes frères. Qu'il n'y ait point de querelles entre vous. Nous ne sommes pas ici prisonniers de la justice de Rome, mais prisonniers du Christ. Il vous a choisis pour être sauvés, car ces épreuves sont notre gloire. Mes frères, aimez-vous les uns... »

La voix devient si légère qu'elle paraît se dissoudre dans l'air tandis que Toutilla sent la tête de Pothin se pencher vers elle, dodeliner dans le vide, puis enfin se poser sur son épaule.

« Toutilla, murmure-t-il, je souffre terriblement. »

Le vieil évêque respire péniblement. Toutilla caresse doucement sa tête brûlante de fièvre. Puis, tout d'un coup, Pothin, épuisé par la souffrance, s'écroule vers sa voisine qui le retient dans ses bras. C'est un corps maigre et décharné, si léger qu'on croirait qu'il va s'envoler dans le ciel. Le vieil évêque se contracte plusieurs fois dans des spasmes violents. Il parle faiblement. Toutilla se penche pour l'entendre :

« Dis à nos frères... d'être... joyeux... d'être joyeux sans cesse, car... le Christ est... ressuscité. »

Puis les membres se raidissent, la tête retombe, et dans un dernier spasme, l'évêque de Lugdunum quitte la vie.

Toutilla garde longtemps son précieux fardeau dans les bras. Elle songe à l'âme de l'évêque, à cette âme toujours gaie, qui maintenant monte vers le ciel, vers le chant des anges, vers la gloire du Seigneur.

« Mes frères, finit-elle par dire, notre évêque est mort. Il a dit : "Soyez joyeux, soyez joyeux sans cesse, car le Christ est ressuscité." »

Brennos, informé de la menaçante réaction de Gédémo, décide d'organiser leur rencontre dans un lieu qui lui soit favorable. Il arrête donc un petit esclave dans la rue et lui demande :

« Connais-tu Gédémo, le fils de Caius Julius Camulus ?

— Celui qui a gagné la course de chars ? dit le petit esclave dont les yeux brillent d'admiration.

— Celui-là. Va lui dire que Brennos l'attend ce soir dans les entrepôts de Canabae. Tu as bien compris ?

— Oui, j'ai bien compris. »

Et rempli de fierté d'avoir à s'adresser à l'aurige des « Verts », le petit esclave part en courant.

*

Lorsque les étoiles commencent à fourmiller dans le ciel, Gédémo et Caton se dirigent vers le nord de l'île de Canabae, là où s'élèvent les vastes entrepôts des négociants de Lugdunum. L'endroit est désert après le travail du jour, et vaguement écœurant. Des odeurs d'épices se mêlent à celles du vin, du fromage, de l'huile, et des tas de légumes et de fruits pourrissent tranquillement le long des quais.

Chaque fois qu'il songe à la perfidie et à la lâcheté de la dénonciation de Brennos, Gédémo sent que le sang lui bout de fureur. Le regard aiguisé par la colère, il scrute tous les coins d'ombre. Soudain il entend :

« Gédémo, oseras-tu me suivre ? »

Derrière la statue de Vulcain, émerge sous la lumière de la lune la silhouette noueuse de Brennos.

« Que tu crèves ! » répond Gédémo, qui se met à courir.

Brennos, fort satisfait que tout se déroule selon son plan, court à son tour en longeant les hautes bâtisses sombres, puis s'engouffre à l'intérieur d'un entrepôt. La cervelle échauffée par son désir de vengeance, sans prendre une seconde le temps de réfléchir, Gédémo se précipite sous le porche. À peine a-t-il franchi le seuil, que la lourde porte de bois se referme brutalement. Il entend le bruit d'une clef qu'on tourne. Il fait nuit noire. Aucune fenêtre ne laisse filtrer un rayon de lune. Caton se met à grogner.

Devant le danger, Gédémo retrouve la prudence, le calme et l'attention du chasseur. Du fond de l'entrepôt lui parviennent des bruits feutrés. Enfin éclate la voix triomphante de l'esclave :

« Je t'ai eu, Gédémo ! Triple imbécile qui ne vaux pas ton urine ! Demain tu seras la fable de toute la ville. »

Brennos se déplace lentement au fond de la pièce, tout en continuant à insulter son adversaire :

« Espèce de rat, faut-il que tu sois totalement stupide pour t'être laissé prendre à mon piège ? Par les dieux, tu me fais pitié ! Mais tu ne dis rien ? As-tu des nuages qui t'obscurcissent l'esprit ? »

Gédémo maudit sa sottise. Par quel aveuglement s'est-il laissé entraîner dans cet endroit où il ne peut utiliser ni sa force, ni son adresse, ni sa rapidité ?

Au fond de l'entrepôt, Brennos continue à jubiler :

« Tu auras beau crier et remuer ciel et terre, personne ne viendra te délivrer ! »

« Il m'assassinerait que je l'entendrais rire dans ma tombe ! » songe Gédémo, qui est plus éloquent en pensée qu'en paroles. Et décidé à attraper ce dénonciateur abject pour l'écraser comme une punaise, Gédémo se met à avancer dans l'obscurité. Mais après avoir traversé la moitié de l'entrepôt, son pied gauche dérape brusquement. Étonné, Gédémo reprend son équilibre, et repose son pied un peu plus loin. Il glisse à nouveau. Le garçon est de plus en plus surpris. Cette fois-ci, il fait une très longue enjambée pour poser son pied le plus loin possible, et il s'étale de tout son long par terre.

Le sol est humide, gluant, graisseux. Gédémo sent que le liquide visqueux pénètre dans ses chaussettes, ses braies, sa tunique, et qu'il devient aussi glissant qu'un savon.

« Tu baignes dans l'huile ! » s'esclaffe Brennos.

Gédémo serre les dents de dépit en comprenant la ruse de son ennemi. Tandis que celui-ci l'insultait du fond de l'entrepôt où il l'avait habilement enfermé, il renversait les amphores. Et maintenant l'huile recouvre en larges plaques collantes les briques du sol. Caton, à son tour, pousse des gémissements.

« Viens, Caton, viens », lui dit son maître.

Le bouledogue dégouline d'huile. Ses poils sont tout gluants et sa jolie queue ébouriffée pend piteusement comme un céleri-rave.

Caton se met à grogner, tant il se sent malheureux et inconfortable. Tout de suite après, atterrit à côté d'eux une amphore qui les rate de justesse.

Gédémo devine la stratégie de Brennos. Au moindre bruit, il tentera de les assommer.

« Tais-toi, Caton. On s'est fait avoir. »

Brennos attend que de nouveaux bruits lui permettent d'identifier l'endroit où se trouve son adversaire. Mais le silence est total. Aussi le provoque-t-il encore une fois :

« Hé ! Gédémo, tu ne parles plus ? Ta langue s'est-elle collée dans ta bouche ? »

Le garçon reste aussi immobile qu'un cadavre. Alors, dépité et impatient, Brennos tente sa chance, et envoie au hasard, dans l'obscurité, les longues amphores. Elles passent au-dessus de la tête de Gédémo, frappent les murs, les briques du sol, et éclatent partout en morceaux.

N'entendant toujours rien, Brennos commence à s'inquiéter.

« Hé ! Parle-moi ! Es-tu vivant ? Dois-je prévenir ton père de la mort de son fils ? »

Gédémo serre ses poings de fureur, mais ne souffle mot.

Brennos s'alarme de ce silence. Que lui arrivera-t-il s'il a vraiment tué le fils du flamine ? Aussi, marchant le plus vite possible sur les amphores brisées, il longe le mur jusqu'à la porte qu'il ouvre et referme aussitôt à clef.

Caton grogne de colère. Gédémo soupire d'humiliation :

« Attendre, Caton, attendre demain matin. »

*

À la première heure du jour, lorsque Brennos se rend à la taverne du Coq pour prendre une cervoise matinale et réfléchir sur la conduite à suivre, il a le déplaisir d'y trouver Sacrovir. Celui-ci discute d'un air sombre avec un marchand romain. C'est un marchand d'esclaves. En apercevant Brennos, Sacrovir lui jette un regard impitoyable et lui fait signe d'avancer.

« Pourquoi as-tu dénoncé ma nièce ? demande-t-il d'un ton où se mêlent l'indignation et la tristesse.

— Moi ? fait Brennos en feignant la surprise.

— Ne fais pas l'innocent. Je l'ai appris d'un esclave de Sélané.

— Je... je..., bredouille Brennos, j'étais jaloux, finit-il par avouer.

— Tu as de la chance que les lois d'aujourd'hui protègent les esclaves. Sinon je t'aurais fouetté jusqu'au sang. »

Puis, se tournant vers le marchand, il ajoute :

« Je te le laisse pour deux cents sesterces. Une misère. Mais je préfère perdre de l'argent que de revoir ce visage de traître. »

Le marchand d'esclaves s'approche de Brennos, l'examine, lui tâte les bras, les épaules, lui ouvre la mâchoire.

« Ne crains rien, dit Sacrovir agacé, il est en bonne santé. Tu le revendras un bon prix.

— J'accepte », dit le marchand.

Le contrat est vite rempli. Le marchand romain inscrit sur une tablette : « Moi, Gargolius Lilus, j'ai acheté un esclave de vingt ans, nommé Brennos, à Caius Julius Sacrovir, patron de la corporation du cuir à Lugdunum, pour deux cents sesterces. Sont témoins Cesdius, le patron du Coq et Duerettus, négociant en vin. L'esclave est acheté le huitième jour avant les ides de juin, dans la quinzième année du règne de Marc Aurèle. Toute réclamation est exclue. »

Puis il se tourne vers Sacrovir :

« Maintenant, tu signes et je signe. »

8

Sacrovir prend
les choses en main

Caius Julius Camulus est lui aussi matinal. Tandis qu'il mange frugalement du petit-lait avec un gâteau rond, un serviteur fait brusquement irruption dans la salle à manger attenante à l'atrium.

« Un marchand d'huile veut te parler. Il est dans le plus grand courroux.

— Eh bien, dit le flamine d'un air désinvolte, envoie-le à mon intendant, et si l'affaire est difficile, envoie-le à Sacrovir.

— Il s'agit de ton fils.

— De mon fils ? » s'étonne le flamine.

À ce moment-là, le marchand, qui a audacieusement suivi le serviteur, surgit de l'atrium.

« Tu l'as dit : de ton fils. »

Le flamine s'adresse au nouveau venu :

« Tu as eu le plaisir d'avoir affaire à Gédémo ?

— Drôle de plaisir, par Hercule. Je l'ai découvert dans mon entrepôt. Il avait cassé toutes mes amphores et il nageait dans l'huile.

— Il nageait dans l'huile ? Est-ce bien cela que tu as dit ? interrompt le flamine très étonné.

— Exactement. Et je viens te demander réparation de ce dommage », précise le marchand en colère.

Le flamine est toujours sous le coup de la surprise.

« Enfin, que faisait-il dans un bain d'huile ? »

Le marchand hésite un moment avant de déclarer :

« On dit qu'il voulait tuer Brennos, l'esclave de Sacrovir. »

Le flamine se redresse, indigné :

« Tu as perdu l'esprit. Pourquoi mon fils voudrait-il tuer un esclave ? »

Le marchand, bien décidé à se faire payer, continue impitoyablement :

« C'est à cause d'une chrétienne, que ton fils protège.

— Que dis-tu là ?

— Ce que chacun répète, reprend le marchand. On dit même que ton fils appartient à cette secte étrangère. »

Le flamine pâlit sous l'accusation. Mais il garde un calme apparent et dit avec dignité au marchand :

« À mon avis, tu divagues. Maintenant, va te faire
rembourser par mon intendant et, je te prie, ne
raconte plus de pareilles sornettes. »

Dès qu'il retrouve son fils dans la salle de bain où
des esclaves le dégraissent en le frottant avec du suif
et de la cendre, le flamine éclate de colère :

« Malheureux ! Que signifie cette conduite misérable ? Te prends-tu pour un gladiateur à vouloir tuer des esclaves ? Ignores-tu qu'en dehors des jeux de l'amphithéâtre on ne peut mettre un esclave à mort sans jugement ? As-tu oublié que depuis deux cents ans, nos divins empereurs leur accordent une âme ?

— Mais..., tente de dire Gédémo.

— Tais-toi, interrompt le flamine, tu fais pire encore. Tu fais le désespoir de ton père. Jamais je ne deviendrai sénateur et ne porterai la toge à bande pourpre, avec un fils tel que toi.

— Pourquoi ?

— Parce que tu protèges une chrétienne, explique son père d'un air soucieux.

— Mais je ne suis pas chrétien. »

Le flamine arpente la petite pièce en tous sens.

« Qu'importe. On te soupçonne. Et le fils du flamine ne doit pas être soupçonné. »

Gédémo pressent que, cette fois-ci, la situation est grave. Aussi regarde-t-il en silence son père qui médite d'un air sinistre. Celui-ci déclare enfin :

« Tu devras quitter la ville quelque temps.

— Et Toutilla ? s'exclame aussitôt Gédémo.

— Toutilla, rétorque le flamine repris par la colère. Qui est-ce ? Une nouvelle jument ? Une petite chienne ?

— La nièce de Sacrovir. Je l'aime », déclare Gédémo.

156

Le flamine lève les bras au ciel.

« Dieux immortels ! Il aime une chrétienne ! De surcroît une ancienne esclave ! Vit-on jamais un fils plus misérable ! »

Puis il ordonne d'un ton sans réplique :

« Tu partiras pour Rome. »

*

« Salut, Camulus, je suis content de te voir. »

Le légat, qui a délaissé sa toge pour des braies et une tunique, s'installe dans un fauteuil d'osier et soupire de satisfaction :

« Enfin, ces procès sont terminés !

— Que vas-tu faire de tous ces chrétiens en prison ? demande le flamine. Vas-tu les mettre à mort ? Les donneras-tu en spectacle dans l'amphithéâtre ?

— Je n'en ai pas le pouvoir. C'est l'empereur, seul, qui peut prendre une telle décision.

— Iras-tu à Rome pour lui en parler ?

— Certes non, reprend le légat en riant. Dès que je m'en vais en voyage, le peuple de Lugdunum s'agite et fait des sottises. Je vais écrire à Marc Aurèle pour demander ses ordres. »

Camulus profite aussitôt de cette occasion favorable.

« Accepterais-tu que Gédémo porte ton message à l'empereur ? »

Le flamine baisse la tête et ajoute à mi-voix :

« Je préfère qu'il s'éloigne de Lugdunum. »

Le légat lui sourit d'un air compréhensif.

« Je suis au courant de son intérêt pour cette chrétienne. Que veux-tu ? Les enfants ne sont plus élevés comme avant. Ils dédaignent la discipline et n'obéissent plus qu'à leur caprice. »

Camulus reste songeur :

« Je crains le caractère excessif de mon fils, si éloigné de toute mesure », avoue-t-il.

Le légat lui jette un regard bienveillant.

« Ne te soucie plus. Le prochain jour de Mercure, la poste impériale part pour Rome. J'autoriserai ton fils à la prendre et lui donnerai ma lettre pour Marc Aurèle. »

*

Gédémo fait tant d'efforts pour réfléchir, qu'il a l'impression que sa cervelle chauffe. Comment faire sortir Toutilla de prison ? Comment la convaincre de le suivre à Rome ? Comment réussir à lui faire prendre la poste impériale, réservée au service de l'empereur ? Les pensées s'agitent et s'embrouillent dans sa tête dans une lamentable confusion. Soudain il songe à Sacrovir. Par Mars, voilà celui qui saura l'aider. L'affranchi de son père est un homme à toutes mains, habile et malin, capable de faire naître les cochons tout rôtis, et qui, de surcroît, aime sa nièce.

Sacrovir soulève son bonnet rond, le repose, le relève, avale un bol de cervoise, repose à nouveau son bonnet sur sa tête pour accompagner une méditation intense. Près de lui se tient Bibulia qui a un air pitoyable. Brisant enfin son mutisme inaccoutumé, elle avoue à Gédémo avec tristesse :

« J'ai demandé aux dieux de m'indiquer en songe un moyen de sauver Toutilla, mais ils ne l'ont pas fait.

— La nuit prochaine, peut-être », répond Gédémo pour la réconforter.

Un silence pesant continue de planer dans la pièce. Soudain Sacrovir frappe son poing sur la table :

« Par Hercule ! » s'exclame-t-il.

Puis il se tourne vers Bibulia :

« Femme, sers-moi de la cervoise. »

Gédémo interroge l'affranchi du regard et approche son tabouret. Lorsque Sacrovir a fini son bol de cervoise il se penche vers le garçon.

« Écoute-moi jusqu'au bout, je te prie. Mais d'abord, jure-moi de m'obéir en tout. »

Voyant les yeux rapides de Sacrovir étinceler de malice, Gédémo s'empresse de dire :

« Je jure, par les dieux du ciel. »

*

À l'heure du crépuscule, Sacrovir, drapé dans son manteau, longe le Rhône d'un pas rapide. Les navires abandonnés dodelinent calmement sur le fleuve, tandis que les derniers passants se pressent pour aller souper.

Dès qu'il s'approche de la prison, Sacrovir tire son capuchon pour cacher son visage. Puis il s'immobilise devant la grille de fer et commence à gémir :

« Pitié ! Pitié pour un malheureux qui ne verra plus la lumière du jour ! Pitié ! Pitié pour un malheureux ! »

Le garde, agacé par ces jérémiades, saisit une torche, s'avance vers la rue, et s'adresse à l'inconnu :

« Cesse de parler comme un perroquet et passe ton chemin.

— Je suis à deux doigts de la mort, pleurniche Sacrovir. Un mal affreux me ronge, me dessèche le foie et glace mon sang.

— Tu m'assommes, répond le garde. Va te lamenter ailleurs. »

Inflexible, Sacrovir continue sa litanie :

« Pour comble de misère, je n'ai plus ni père, ni mère, ni enfant. Rien qu'une nièce, une chère nièce, qui se trouve dans ta prison.

— Je n'y peux rien, constate le garde. Le destin mène les hommes. »

Sacrovir sort une pièce d'un sesterce et la tend au gardien.

« Laisse-moi l'embrasser et lui donner quelques

menus conseils, avant que je rejoigne le royaume des enfers. »

Le garde hésite un moment à prendre la pièce d'argent. Méfiant, il regarde à nouveau Sacrovir et pousse un cri. Car celui-ci, en relevant lentement son capuchon, dévoile un horrible visage, crevassé d'énormes plaques noires et pourpres, signes certains d'une mort imminente. Le garde est frappé de terreur par cette abominable apparence. Profitant de son désarroi, Sacrovir tonne d'une voix caverneuse :

« Laisse-moi voir ma nièce, sinon je reviendrai des enfers te tourmenter, toi, ta femme, tes enfants et tes petits-enfants.

— Entre », murmure le garde pris de panique, en tournant la clef de fer.

Sacrovir, d'un large geste, le repousse, s'empare de sa torche et pénètre dans la prison.

Dans la première salle, il ne trouve pas sa nièce. Mais il entend, venant du sous-sol, des voix qui psalmodient en chœur : « Notre père qui es au ciel, que ton nom soit sanctifié. Que ton règne arrive. Donnenous aujourd'hui le pain dont notre cœur a besoin... »

En bas de l'étroit escalier, Sacrovir découvre les chrétiens, attachés contre les murs, les bras en position de prière. Leurs visages sont si blancs qu'ils ressemblent à des masques de cire. Seuls leurs yeux brillent de douceur et d'espérance. Réprimant toute émotion, Sacrovir s'approche de Toutilla. Il parle vite et fort, pour se faire entendre de tous.

« Ma petite, ne t'effraie pas de mon visage, c'est un maquillage. Je suis venu te dire que Gédémo viendra te délivrer, la nuit du jour de Mars, pour t'emmener à Rome.

— Je ne veux pas abandonner mes frères.

— Cesse d'être sotte et insolente. Tu iras à Rome pour aider tes frères.

— Je ne comprends pas.

— Écoute-moi, te dis-je, reprend Sacrovir qui s'impatiente. Gédémo va porter un message du légat à Marc Aurèle. Celui-ci doit décider du sort des chrétiens. Toi, tu iras trouver l'évêque de Rome. Peut-être que les chrétiens de là-bas pourront venir à votre secours. »

La voix légère de Blandine s'élève dans l'obscurité.

« Pourquoi veux-tu nous empêcher de souffrir pour le Christ ? »

Un jeune homme prend la parole.

« Maintenant que notre évêque bien-aimé a rejoint notre Seigneur dans sa gloire, c'est moi, votre diacre, qui suis chargé de vous rappeler les paroles du Christ. Il a dit : "Si l'on vous pourchasse dans telle ville, fuyez dans telle autre. Et si l'on vous pourchasse dans celle-là, fuyez dans une troisième."

« Aussi, mes frères, luttons, autant qu'il est en notre pouvoir, pour maintenir une Église à Lugdunum. Que le Seigneur protège le voyage de Toutilla. Car c'est au Christ qu'appartient de choisir le jour et l'heure où nous serons livrés pour lui. Que sa volonté soit faite. »

*

Au matin du jour de la Lune, Gédémo applique avec soin le plan de Sacrovir. Du quartier des nautes de la Saône à l'île de Canabae il transporte un objet encombrant recouvert d'un grand morceau de toile. Au fond du jardin de sa mère, il dépose son chargement. Puis il arrache le drap qui le recouvre et reste un moment saisi d'émotion. C'est que le mannequin qu'il vient de transporter ressemble terriblement à Toutilla. Bibulia lui a noué des nattes de chanvre sur la tête, peint de larges yeux pervenche, un doux sourire et l'a revêtu des habits de sa nièce.

« Caton ! » appelle Gédémo.

Le bouledogue s'approche de son maître qui le maintient fermement face au mannequin.

« Aboie, Caton, aboie. »

Caton reste muet.

« Aboie, Caton, ou je me fâche. »

Le bouledogue ne semble pas comprendre ce que désire son maître. Alors celui-ci, prenant un bâton, commence à le frapper. Stupéfait, Caton se met à aboyer, plus d'étonnement que de douleur.

Tout l'après-midi, alternant les récompenses et les menaces, Gédémo dresse son bouledogue. À la fin de la journée, il est fort satisfait du résultat : Caton aboie comme un fou furieux dès qu'il se trouve devant le sosie de Toutilla.

*

Le soir du jour de Mars, de noirs nuages, poussés par un vent rapide, courent devant la lune.

« Il va pleuvoir demain, dit Sacrovir. Bibulia affirme que c'est un bon présage. »

Plus au sud, au-delà des murailles de la ville, Sacrovir et Gédémo suivent la voie le long du Rhône. Sur les tombeaux qui se succèdent, sont écrits des messages adressés aux vivants. Ils demandent, au voyageur de passage, de saluer amicalement les morts pour distraire leur solitude.

« Salut, Rusticus, Nertomaros, Orgétorix et tous les autres. Que la terre vous soit légère », déclare Sacrovir.

Au-delà des tombes, les marcheurs atteignent une grande porte voûtée, moitié en pierre, moitié en briques, qui donne sur le fleuve. La porte est magnifique mais dégage des odeurs déplaisantes.

« Senteur abominable, fait Gédémo en grimaçant.

— Senteur normale, c'est l'égout de la ville », rétorque Sacrovir.

Gédémo examine d'un air dégoûté la boue sale et épaisse qui charrie les déchets des latrines publiques et privées.

« Je dois entrer dedans ? interroge Gédémo perplexe.

— Dois-je te répéter, cervelle de merle, que l'égout passe juste le long de la pièce souterraine de la prison ? »

Oubliant sa répulsion, Gédémo enfonce ses hautes bottes de cuir dans les détritus, lorsque l'affranchi s'écrie :

« Par les dieux, ne pars pas les mains vides. »

Et il lui tend un balluchon de toile épaisse d'où émergent un pic et une massue hérissée de pointes de fer.

« Maintenant prends la torche et fais vite quand le moment sera venu. »

Et sans s'attarder davantage, Sacrovir repart en direction de la ville.

L'intérieur de l'égout est plus agréable que sa sortie dans le Rhône. Un couloir assez spacieux, pavé de larges dalles, laisse passer en son milieu un tuyau de terre cuite. Gédémo avancerait facilement, si la voûte surbaissée, de faible hauteur, ne l'obligeait à se courber en deux. Patiemment il se met à compter : un pas, deux pas, trois pas. D'après les calculs de Sacrovir, la prison de Lugdunum doit se trouver approximativement à sept cents pas de la sortie de l'égout. À chaque centaine, il jette sur le sol une petite fève noire, des sept fèves que Bibulia a cachées dans sa ceinture en expliquant :

« Tu en jetteras une par terre à chaque centaine pour ne pas te tromper. Et puis cela chassera les mauvais esprits. Ensuite il faudra attendre. »

*

Le garde de la prison s'inquiète de ne pas voir arriver Sélané. Depuis plusieurs jours, cette belle et riche dame vient après souper, lorsque la nuit est noire, apporter des vivres pour les prisonniers chrétiens. Et chaque soir, pour remercier le garde, elle lui donne une belle pièce d'un denier. Depuis ces heureuses visites, le gardien ne cesse de compter sa nouvelle fortune : huit deniers déjà, qui font trente-deux sesterces ou quatre-vingts as. Si les chrétiens restent des semaines en prison, il pourra s'acheter un cheval, peut-être même un esclave. Mais si la dame ne vient plus, tous ces projets mirifiques tombent dans les pois chiches. Décidément les riches sont des personnes peu sûres et capricieuses.

Aussi est-ce avec un grand soulagement qu'il aperçoit la torche de l'esclave qui accompagne Sélané. Souriant, il va l'attendre à la grille. Sélané, sans dire un mot, tend le précieux denier. Aussitôt, sans s'inquiéter du vilain bouledogue qui ce soir-là l'accompagne, le garde fait tourner la clef dans la grosse serrure de fer et ouvre la grille pour prendre les deux paniers. Dès que la porte est entrouverte, Sélané dit doucement :

« Va, Caton, va. »

Caton se précipite à l'intérieur. Depuis le matin, on le laisse sans manger, et il est d'humeur coléreuse. Flairant partout, il cherche vainement dans la première salle de la prison quelque chose à dévorer et se précipite dans l'étroit escalier. Le garde, alarmé, le poursuit avec sa torche.

Lorsqu'il découvre Toutilla, Caton, entraîné depuis deux jours à aboyer devant la gracieuse amie de son maître, se met à pousser des aboiements furieux.

« Ne vous alarmez pas, explique Toutilla à ses compagnons. C'est le chien de Gédémo. Ces aboiements doivent servir à quelque plan habile de mon oncle Sacrovir. »

Le garde essaie de calmer la bête déchaînée. Mais Caton déborde d'énergie et paraît impossible à maîtriser. Aussi le malheureux gardien décide-t-il d'aller chercher, au plus vite, du renfort à la caserne de la cohorte urbaine.

*

Dès que Gédémo entend les aboiements de Caton, il avance vers l'endroit où ils résonnent le plus fort, c'est-à-dire à l'emplacement exact de la prison. Avec des gestes rapides et précis, il pose sa torche contre le mur, déballe les outils et commence à frapper la muraille. La paroi est mince, d'un calcaire tendre qui s'effrite vite sous les pointes de fer de la massue.

167

Quoique sa position ne soit guère confortable, car le tuyau de l'égout entrave ses mouvements, Gédémo se sent une force à affronter sans arme un sanglier. Les coups tombent, puissants, réguliers, efficaces. Bientôt, une brèche arrondie, large d'un pied, permet de communiquer avec les prisonniers.

« Toutilla, appelle Gédémo, le cœur serré d'inquiétude.

— Je suis là. Mais rappelle Caton, il fait un tumulte infernal. »

Caton obéit à l'appel de son maître et se glisse avec peine dans l'étroite ouverture. Puis le silence retombe dans la falaise.

« Pour casser ta chaîne », dit Gédémo en tendant à travers le mur une pince et un poinçon.

Et il se remet à cogner pour agrandir le trou. Lorsqu'il est assez large, Toutilla s'échappe à son tour. Mais à peine se retrouve-t-elle dans l'égout, que Caton, obéissant aux ordres, se remet à pousser des aboiements frénétiques.

« Tais-toi, Caton », ordonne Gédémo furieux.

Caton, incertain sur la conduite à suivre, aboie à nouveau.

Cette fois-ci il reçoit un coup sur la nuque. Alors, abasourdi, ne comprenant plus rien aux ordres contradictoires de son maître, il gémit doucement, en restant à bonne distance de ces incompréhensibles êtres humains.

Lorsque le gardien revient avec trois acolytes, il trouve la prison totalement silencieuse. Les hommes tendent vainement l'oreille, et, surpris, se dévisagent les uns les autres.

« Que signifie cette plaisanterie ? » demande l'un.

Le gardien, désemparé, affirme :

« Je t'assure, par Mars, qu'il y avait un chien fou dans la prison. »

Dans la salle souterraine, les gardes ne trouvent aucune trace de bête furieuse. Tout est calme et tranquille. Le diacre, assis bien droit contre le mur, cache de son dos la brèche, en attendant que Gédémo revienne la colmater.

« Ces chrétiens t'ont jeté un sort », conclut un homme de la cohorte urbaine.

Le malheureux gardien hoche tristement la tête, et marmonne en guise d'excuse :

« On dit qu'ils ont le mauvais œil. »

Un autre garde s'esclaffe avec ironie :

« On verra bien s'ils feront disparaître les lions, quand ils seront dans l'amphithéâtre ! »

Puis, après avoir donné, au hasard, quelques coups de verge sur les corps épuisés des chrétiens, les gardes remontent bruyamment l'escalier.

*

À l'aube du jour de Mercure, des nuages lourds et bas recouvrent Lugdunum, lorsque Sacrovir et Bibulia conduisent Toutilla vers le forum où attend la poste impériale. Toutilla est méconnaissable. Elle a sur la tête une perruque de cheveux courts et roux, et porte des braies violettes, une tunique cerise et un manteau couleur de myrte.

Pendant qu'ils montent le chemin raide de la falaise, Sacrovir se tourne vers sa nièce :

« Quand tu seras dans la Ville, tu trouveras au pied du Capitole la statue de Marsyas, un vieillard très laid qui porte un bonnet rond sur la tête. C'est le protecteur des affranchis, le symbole de notre liberté. Tu lui offriras de l'encens et des fleurs et lui demanderas de m'obtenir l'anneau d'or à la main gauche. »

Comme Toutilla ne répond rien, Sacrovir se retourne brusquement :

« Et ne me dis pas que c'est une idole, par Hercule. Tu n'es plus sur le forum avec tes frères et le légat ! »

Toutilla sourit en songeant avec tendresse aux manières bourrues par lesquelles Sacrovir cache sa finesse et son affection.

« Ce sera fait, je te le promets », répond-elle.

Sur le forum, Toutilla, déguisée en fils du flamine, montre au postier la lettre du légat pour l'empereur et lui tend l'autorisation exceptionnelle qui permet à Caius Julius Gédémo d'utiliser la voiture de la poste.

Bibulia se met à sangloter en serrant sa nièce dans ses bras. Sacrovir a les larmes aux yeux. Dès que la poste impériale franchit la porte du forum, la pluie se met à tomber en grosses gouttes orageuses. Mais l'affranchi et sa femme ne paraissent point remarquer cette averse si longtemps attendue.

« Elle me manquera, la petite, murmure son oncle.

— Si tu veux mon avis, Sacrovir, dit Bibulia, il vaudrait mieux qu'elle reste longtemps à Rome avant de revenir ici.

— Il vaudrait surtout mieux qu'elle change de religion et qu'elle abandonne ce dieu qui l'envoie sans cesse à deux doigts de la mort. »

À un mille de Lugdunum, il pleut à verse sur les profondes forêts, lorsque le postier remarque un jeune chêne déraciné en travers de la voie. Il arrête ses deux chevaux et descend tirer l'arbre sur le côté, dans le fossé. Mais tandis qu'il s'efforce de le déplacer, il se sent saisi par les épaules, et, en un rien de temps, jeté au sol. Un jeune homme, masqué par son capuchon, le déshabille rapidement, lui lie les mains, l'entoure d'un grand filet de chasse, et le dépose doucement au milieu de la voie, derrière la voiture.

« Farce, bonne farce », dit Gédémo en revêtant les habits du postier.

Après avoir admiré Toutilla dans son déguisement, il fait claquer son fouet et les chevaux partent au grand galop vers Rome, la Ville des villes, la Reine de l'Univers.

9

Une mauvaise rencontre

Après six jours d'un voyage éclair, épuisant les chevaux que Gédémo changeait à chaque relais de la poste impériale, les deux amis arrivent à Rome par la porte de la voie Flaminia. Tous deux sont préoccupés, suivant en silence le cours de leurs pensées. Toutilla se demande où se trouve l'évêque de Rome dans cette ville immense d'un million d'habitants. Gédémo songe à la visite qu'il doit rendre à Marcus Julius Séverus pour lui demander conseils et avis. Cet homme illustre par la naissance et la fortune est le protecteur de son père, à qui il a obtenu le titre de citoyen romain et l'entrée dans la famille Julia, descendante de César.

Quant à Caton, désorienté par cet environnement inconnu, il ouvre ses narines et ses oreilles.

Il fait très chaud et à l'heure de la sieste, la ville paraît endormie. Profitant d'une petite place déserte, Gédémo déclare :

« Faut se changer, et chasser les chevaux. »

En un clin d'œil Toutilla a remis tunique et sandales, et Gédémo a retrouvé ses braies. Puis tous deux descendent de la voiture, et le garçon fouette l'attelage qui détale en hennissant.

Toutilla ne pense qu'à rejoindre l'évêque de Rome. Aussi, dès qu'elle aperçoit deux hommes qui se reposent sous un portique, elle vient les interroger :

« Où se trouve la voie Appia ?

— C'est très simple, répond le premier homme. Tu prends ici le forum de Trajan, puis le forum d'Auguste, puis le forum de Nerva, puis le forum de la paix et tu arrives au Colisée.

— Mais non, interrompt le deuxième homme, c'est bien plus court par le forum de César et le forum romain.

— Il y a tant de forums que cela ? s'étonne Toutilla.

— Il y en a beaucoup, reprend gravement le deuxième homme, mais le plus ancien, le plus vénérable, le plus beau, est le forum romain. Mais d'où viens-tu donc, pour ignorer pareilles choses ?

— De Lugdunum.

— Une Gauloise en visite dans la capitale !

176

s'exclame-t-il. Alors va vite derrière cette colline et découvre la plus belle place du monde. »

Le premier homme intervient à nouveau :

« De là tu verras le Colisée où tu tourneras à droite. Après, tout droit pour la via Appia.

— Qu'est-ce que le Colisée ? »

Les deux hommes s'esclaffent à nouveau.

« C'est là où combattent les gladiateurs, pour la gloire des dieux et de l'empereur. Il n'y a donc pas d'amphithéâtre à Lugdunum ? »

Toutilla sent son cœur se serrer en songeant que c'est dans l'amphithéâtre que ses frères risquent de mourir. Et remerciant les deux hommes d'un sourire, elle rejoint tristement Gédémo.

*

Gédémo est loin de penser au martyre des chrétiens de Lugdunum. Il est ébloui par la splendeur du forum romain. Partout des temples de marbre. Il en compte sept qui entourent la place en forme de trapèze, mais il y en a d'autres qui se dressent devant lui sur la colline du Capitole, et d'autres encore qui se dressent derrière lui, en direction du Colisée. Partout des statues au sommet des temples, sur les toits des basiliques, sur les arcs de triomphe, sur les colonnes, ou simplement posées au milieu de la place.

« Beau ! Grand ! Magnifique ! » répète-t-il sans arrêt.

Toutilla, le cœur encore serré par le rappel de l'amphithéâtre de Lugdunum, trouve le forum sinistre. Tous ces temples, toutes ces statues élevés en l'honneur des idoles lui semblent écraser de tout leur poids de brique et de marbre ses frères en prison.

« Magnifique ! s'extasie à nouveau Gédémo.

— Ce n'est que du marbre, remarque Toutilla avec condescendance. Cela peut disparaître très vite. Ce n'est pas éternel. »

Gédémo soupire devant l'indifférence de son amie à la splendeur de Rome.

« Tu m'agaces ! déclare-t-il. Beauté, puissance, tu n'aimes rien.

— La seule puissance et la seule beauté que je connaisse sont celles de l'amour du Christ », répond Toutilla, inébranlable.

Et sans attendre de réponse, elle se dirige vers l'étroit chemin qui longe la Curie, d'où proviennent des pleurs ininterrompus. Toutilla découvre un bébé de quelques jours, posé sur le sol et vaguement emmailloté dans un linge sale. Elle le prend aussitôt dans ses bras.

« Le pauvre petit. Il meurt de faim.

— Un enfant exposé. Pour s'en débarrasser, explique Gédémo.

— Je vais le prendre avec moi. »

Gédémo est excédé par cette extravagance.

« Il y en a plein dans Rome. Tu vas pas tous les ramasser. »

Toutilla le regarde d'un air décidé.

« Pourquoi ? Le Christ nous a bien tous aimés.

— Toujours le Christ ! »

Un voile de larmes passe dans les yeux de Toutilla qui répond bravement :

« Je vais chez l'évêque. Quand tu auras assez admiré le forum tu pourras m'y retrouver. »

Elle se dirige vers le Colisée, puis se retourne et crie :

« Va voir la statue de Marsyas, et demande-lui l'anneau d'or pour Sacrovir. Je lui ai promis. »

Et Toutilla se met à courir sur la voie sacrée, son bébé dans les bras.

« Toutilla », appelle Gédémo.

À ce moment-là, un homme suivi d'un ample cortège d'amis et d'admirateurs débouche sur le forum et sépare les deux enfants. Gédémo cherche vainement la gracieuse silhouette de son amie à l'horizon. Puis, grisé par la chaleur, la lumière, la beauté, il se dit :

« J'irai plus tard. »

Et il s'approche de la statue du vieillard au bonnet rond qui se tient près de l'olivier et du figuier sacrés.

*

Avant de rechercher Toutilla, Gédémo décide de monter sur le Capitole, la plus célèbre des sept collines de Rome. Il se dirige vers le fond du forum et emprunte un petit chemin étroit et abrupt. Bientôt il atteint le sommet sur lequel s'étend une esplanade. Elle est parsemée de petits temples, de statues dorées, d'arcs de triomphe, qui entourent un somptueux édifice de marbre blanc, à la lourde porte d'or et aux belles tuiles de bronze. Au-dessus du fronton, se dresse dans le ciel la statue d'un dieu assis sur un char tiré par quatre chevaux.

« C'est le temple de Jupiter Très Bon et Très Grand », se dit Gédémo qui se souvient des descriptions de son père.

Alors, embrassant du regard le temple du père des dieux, puis Rome à ses pieds, les collines verdoyantes, les maisons innombrables, les théâtres, les palais, Gédémo sent grandir en lui une immense fierté. La fierté d'être citoyen de Rome, c'est-à-dire citoyen du monde qui lui appartient. Lui aussi participera à la grandeur de l'empire. Lui aussi, comme les plus célèbres chefs de guerre, conduira ses légionnaires de conquêtes en conquêtes, lui aussi, un jour, empruntera cette voie sacrée qui s'étend à ses pieds pour recevoir le « triomphe » réservé aux vainqueurs.

Puis, étourdi par la chaleur et enivré par ses rêves flamboyants, Gédémo s'assied au pied de l'esplanade, pour sentir battre le cœur de la capitale du monde, et s'endort.

*

À l'entrée de la voie Appia, sur la droite, se tient une petite maison de brique, de piètre apparence, entourée de cyprès. Toutilla, tenant avec peine trois bébés hurlant dans les bras, frappe à la porte. Un homme grand et large, au visage énergique, vêtu d'une tunique de laine mal peignée, pieds nus, ouvre la porte.

« Le Seigneur soit avec toi, dit-il.

— Je viens voir l'évêque de Rome.

— Je suis l'évêque de Rome. Ces trois enfants sont-ils à toi ?

— Non, dit Toutilla, je les ai trouvés en chemin. »

L'évêque ne paraît pas surpris. Il appelle :

« Pupa ! Viens. »

Une femme maigre, au visage émacié et bon, surgit aussitôt.

« Prends ces enfants, dit l'évêque, et trouve des sœurs qui se chargent d'eux. »

Pupa sourit à Toutilla en disant :

« Que le Seigneur te garde. »

Et rapide et silencieuse, elle emporte les trois enfants dans le jardin.

« Entre, sœur, et viens nous raconter d'où tu viens », dit l'évêque.

La pièce centrale de la maison est d'une grande sobriété. Des murs de brique nue, des briques au sol, une table et quelques chaises aux pieds croisés. Toutilla se sent un peu intimidée. L'évêque de Rome n'a rien de l'allégresse enfantine du vieux Pothin. Il respire la force, l'équilibre, l'autorité.

« Sans doute, songe Toutilla, est-il grave et sévère, parce qu'il est le successeur de l'apôtre Pierre, la pierre sur laquelle se construit l'Église du Christ. »

Deux hommes sont déjà installés autour de la table. L'évêque explique leur présence :

« Voici deux frères de passage : l'un vient de l'Église de Corinthe, et l'autre de l'Église d'Afrique. Et toi, d'où viens-tu ?

— De Lugdunum.

— Comment se porte notre bien-aimé Pothin ? demande l'évêque.

— Il est mort », dit Toutilla.

Et très vite, faisant des efforts pour ne pas pleurer, elle raconte les persécutions, les tortures infligées à ses frères, la menace de leur mort dans l'amphithéâtre.

« Je suis venue à Rome pour que tu leur viennes en aide », conclut-elle.

L'évêque, concentré et réfléchi, interroge Toutilla :

« Où se trouve la lettre du légat pour l'empereur ?

— Gédémo l'a gardée. Il veut d'abord demander conseil à Marcus Julius Séverus, le protecteur de son père. Puis il viendra me retrouver ici. »

Comme l'évêque a l'air fort soucieux, Toutilla s'inquiète :

« Tu as l'air de craindre la réaction de l'empereur. Pourtant on dit qu'il est bon et sage.

— Il est bon, mais il est faible. Il est sage, mais il est superstitieux. Il est donc trop soumis à l'influence détestable de son fils Commode et de son mage Alexandre.

— Mais n'y a-t-il pas au palais des chrétiens qui aient de l'influence sur lui ? demande Toutilla.

— Il y a Marcia. Je la verrai demain. »

Puis l'évêque lève son visage grave et ajoute :

« En attendant il faut prier, prier longtemps, pour que le Seigneur nous vienne en aide et que tout s'accomplisse selon sa volonté. Nous irons ce soir dans les catacombes, prier près de nos martyrs. »

Comme la discussion paraît terminée, et que Toutilla ne sait où aller, elle demande :

« Connais-tu une maison où je pourrai habiter ? »

Le visage de l'évêque de Rome s'éclaire enfin d'un sourire amusé :

« Ma maison, parfois, me paraît une auberge, tant sont nombreux à y dormir les chrétiens de passage. Tu pourras rester ici quelques jours. »

*

Le forum a retrouvé sa fièvre ordinaire, lorsque Gédémo redescend du Capitole après sa sieste improvisée. Des passants, en toge, en braies, en tunique, riches ou pauvres, mais tous désœuvrés car on ne travaille pas à Rome l'après-midi, remplissent la place. Beaucoup se rendent aux thermes, d'autres discutent sous les portiques, d'autres jouent aux échecs, d'autres simplement mendient. Le spectacle du forum enchante Gédémo. Pendant un moment il regarde les enfants jouer aux noix près du temple du divin Jules, puis saisi par une faim soudaine, il achète à un marchand ambulant des poulpes frits et des beignets ainsi que des brochettes de viande pour Caton.

C'est alors que passe non loin de lui, assis dans une chaise à porteurs, un homme chaussé de souliers rouges et dont la toge est décorée d'une bande pourpre, suivi par un nombre considérable de personnes. Dès que le sénateur remarque Gédémo, il fait arrêter ses porteurs et fait signe à un esclave de s'approcher.

« Qui est ce garçon que je ne connais pas ? demande-t-il.

— Je l'ignore.

— Comment est-ce possible ? s'indigne le sénateur. Je te paie pour que tu connaisses le nom de tout le monde sur le forum. Personne ne doit m'être étranger.

— Je vais le chercher », balbutie l'esclave, effrayé.

Gédémo s'approche du sénateur dont l'expression est agréable : des cheveux légèrement ondulés, un visage fin, des yeux attentifs et perspicaces.

« Comment te nommes-tu ? demande-t-il.

— Caius Julius Gédémo. De Lugdunum. »

Le sénateur paraît charmé de la réponse :

« Tu es le fils de Caius Julius Camulus ! Un homme charmant et fidèle. Je vais m'occuper de toi. D'abord, accompagne-moi aux thermes. Nous parlerons là-bas de ta visite à Rome. »

Le ton du sénateur ne souffre pas de réplique. Et Gédémo se dit qu'il attendra encore un peu pour aller retrouver Toutilla. D'ailleurs, n'est-ce pas un signe de la faveur des dieux, que de rencontrer si vite l'illustre et puissant Marcus Julius Séverus ? Et puis il a tant de choses encore à découvrir. Jamais il n'avait imaginé des thermes aussi grandioses que ces thermes de Trajan qui se trouvent derrière le Colisée. Non, jamais il n'avait imaginé un escalier de marbre aussi monumental, d'aussi accueillantes terrasses ombragées de lauriers-roses, des bibliothèques aussi vastes, ni tant de mosaïques et de stucs.

Il n'avait pas imaginé non plus que le sénateur, l'illustre protecteur de son père, vive au milieu des périls. C'est pourquoi, dans les vestiaires, il pousse un cri de surprise, en découvrant que sous sa tunique, le sénateur porte une épaisse cuirasse de cuir. Séverus sourit de la stupeur de son compagnon.

« Cela t'étonne, mon garçon ! À Rome, il te faudra apprendre à ne t'étonner de rien. Personne ne peut y vivre tranquille. Les pauvres sont à la merci du voleur, de l'assassin, du charlatan, et les grands, qui n'ont pas à craindre la valetaille, ont tout à redouter des caprices de la cour de l'empereur.

— Toi en danger ? » demande Gédémo.

Séverus lève une main fataliste.

« Un jour sûrement, mais pas aujourd'hui. Je suis encore en vie, suffisamment pour vouloir faire avec toi une excellente partie de balle. »

*

Étendu sur la terrasse des thermes, prenant un bain de soleil pour dorer sa peau encore pâle, Brennos songe à la douceur de son existence à Rome. Il a été racheté par le mage Alexandre. Et son nouveau maître lui demande, pour tout travail, de l'aider dans ses fourberies. Car les faux oracles, les prophéties confuses, les mensonges éhontés, les remèdes extravagants sont les moyens par lesquels Alexandre assure son pouvoir à la cour et dans la rue. Et Brennos, dans l'exécution de toutes ces friponneries, se révèle très efficace.

Ressentant une petite faim, l'esclave se redresse pour appeler un de ces marchands qui déambulent sur la terrasse des thermes en vendant des saucisses, du pâté et du pain. C'est alors qu'il croit avoir une vision. Une vision douloureuse. Non loin de lui, un garçon aux cheveux roux, ressemblant à s'y méprendre à Gédémo, joue avec un homme plein d'autorité. Pourtant, en l'examinant avec soin, Brennos ne peut pas douter plus longtemps. Ces gestes rapides, adroits, précis, par lesquels le garçon rattrape la balle de cuir que le sénateur lance n'importe comment, sont bien ceux du fils du flamine. Et Brennos sent la jalousie revenir impitoyablement lui déchirer le cœur. Et les idées de vengeance s'agitent dans sa cervelle échauffée.

*

C'est alors qu'un homme, toujours vêtu de sa toge, le visage soucieux, s'approche de Marcus Julius Séverus, qui renonce à renvoyer la balle.

« J'ai une mauvaise nouvelle à t'apprendre, dit le nouveau venu.

— Dépêche-toi, ami, de me dire mon infortune, déclare Séverus d'un ton ironique.

— Tes paroles imprudentes ont été rapportées au fils de l'empereur. Il serait sage que tu déclares vite le contraire.

— Jamais, répond Séverus, jamais je ne reviendrai sur mes propos. Si tu veux mon avis, le voici : Commode est borné, brutal, violent, dangereux. S'il devenait empereur, Rome ne serait plus dirigée par des lois, mais par la barbarie.

— L'empereur, cependant, adore son fils, remarque l'ami.

— Justement. C'est à cause de cette faiblesse et de cet aveuglement qu'il faut dire et répéter à l'empereur qu'il ne doit pas choisir son fils comme successeur.

— Fais comme tu voudras, soupire l'ami. Mais sache que Commode a décidé de se débarrasser de

187

tous ceux qui l'empêchent de parvenir au trône. Tu risques ta vie, Séverus. »

Séverus lève ses deux bras d'un air résigné.

« Voudrais-tu que je sois assez infâme pour préférer la vie à l'honneur ? Rentrons chez moi pour trouver plus de renseignements à ce sujet. »

Puis il s'approche de Gédémo.

« Je dois te quitter. Mais je t'attends ce soir, à souper, à la neuvième heure. Tu m'apporteras la lettre dont tu m'as parlé. Que Jupiter te bénisse. »

Une fois seul, Gédémo songe qu'il n'a pas vraiment le temps de retrouver Toutilla avant le dîner du sénateur, et qu'il ferait mieux de profiter des bains. Il entre donc dans le bâtiment central. À l'intérieur, le tumulte est considérable. Des cris surgissent de partout : cris effrayés de ceux qui sautent dans la piscine, cris de douleur des hommes qui se font épiler les aisselles, cris des athlètes qui s'encouragent pour lever les haltères, cris des petits vendeurs ambulants. Passionné par tout ce qui l'entoure, Gédémo ne remarque pas Brennos qui le suit comme une ombre.

Le fils du flamine traverse, sans s'attarder, la salle du bain froid où l'on s'ébat dans une piscine décorée de mosaïques somptueuses. Puis il découvre la salle des bains tièdes. C'est une large salle voûtée, bordée de baignoires creusées dans l'épaisseur des murs. Gédémo plonge dans une baignoire inoccupée et enlève avec soin la poussière de son corps en le grattant avec un strigile qui sert de racloir. Après quoi, se sentant tout propre et ragaillardi, il se met à sautiller d'allégresse.

« Une bonne séance de transpiration, se dit-il, et je serai prêt à affronter Rome ! »

L'étuve est une pièce toute ronde obscurcie par la vapeur qui se dégage des bassins d'eau sur-chauffée. Dans cette atmosphère nébuleuse, des silhouettes, engourdies par la chaleur, passent len-tement comme des fantômes. Gédémo finit par distinguer les banquettes où l'on s'allonge pour laisser le corps s'habituer à l'étouffante chaleur.

Tandis que, couché sur le ventre, Gédémo s'abandonne au bien-être de la somnolence, Bren-nos s'approche de lui, et demande en changeant sa voix :

« Veux-tu un massage pour te détendre ? »

Gédémo, les yeux clos, répond :

« Oui ! Fatigué... long voyage.

— D'où viens-tu ? interroge la voix contrefaite.

— Lugdunum.

— Es-tu venu seul ?

— Avec Toutilla. »

Brennos sent son cœur battre la chamade et l'émotion est trop violente pour qu'il continue à bien modifier ses intonations.

« Quel motif vous a conduits à Rome ?

— Sauver les chrétiens », répond Gédémo.

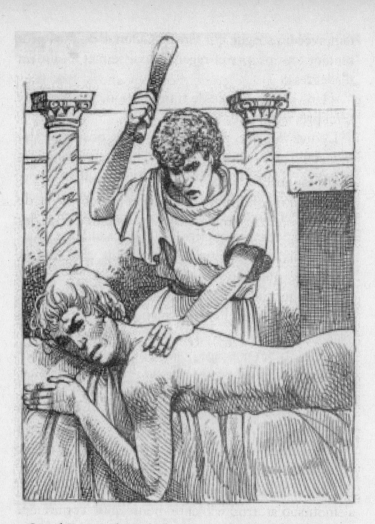

Soudain, malgré l'abrutissement de la chaleur, Gédémo trouve singulier cet interrogatoire, et le ton de cette voix qu'il a déjà entendue quelque part. Il s'apprête à se retourner pour examiner de plus près son étrange masseur, lorsqu'il reçoit sur la nuque un coup si violent qu'il en perd connaissance.

Brennos secoue un moment sa victime pour s'assurer qu'elle est bien assommée.

« Je n'ai qu'à le jeter dans une baignoire d'eau chaude, pense-t-il. On croira qu'il a eu un malaise et qu'il s'est noyé. »

Tout autour les ombres circulent lentement et de profonds soupirs proviennent des banquettes et des baignoires. Entourant la salle chaude centrale, se trouvent des cabines de bain individuelles, dont l'une est seulement à quelques pieds de Gédémo. Aussi, avec une force inhabituelle, Brennos saisit le garçon par la taille, le traîne dans la cabine et le jette dans la vasque d'eau chaude. Puis il s'éloigne discrètement.

*

Brennos ne prend pas le temps de rafraîchir son corps dans la piscine et rejoint vite les vestiaires, où s'agitent toutes sortes de gens qui ne cessent d'entrer et de sortir. Parmi tous les habits qui pendent au mur, des braies violettes et une tunique couleur de myrte attirent son attention. Nul doute qu'il ne s'agisse des vêtements de Gédémo. Avec assurance Brennos s'empare de la ceinture dont il reconnaît le cuir qui provient des ateliers de Sacrovir. La ceinture est lourde, remplie de bonnes pièces d'argent, et Brennos sent que la fortune lui est de plus en plus favorable.

Lorsqu'il se dirige en sifflotant vers la sortie des thermes, il passe devant l'enclos où sont gardés les chiens qui attendent leur maître. Et son passage déclenche les aboiements ininterrompus d'un boule-dogue. C'est Caton qui vient de reconnaître celui qui les a enfermés si longtemps dans l'entrepôt des jarres d'huile, Caton qui pressent quelque malheur. Et quoique Brennos se soit déjà éloigné vers le Colisée, il continue à hurler d'une manière effrayante.

Des esclaves entourent ce chien excessivement bruyant.

« T'as vu sa drôle de gueule ! Il est vraiment laid, dit l'un.

— C'est pas un chien d'ici, constate un deuxième.

— Qu'est-ce qui lui prend de nous casser les oreilles ? demande un autre.

— On le détache pour le laisser partir ?

— Tu as perdu l'esprit, il est trop dangereux.

— Vaudrait mieux chercher un dompteur du Coli-sée », suggère le premier.

Les esclaves n'ont pas le temps de s'interroger plus longuement, car Caton, d'un fort coup de tête, casse la mince laisse qui le tenait attaché et se précipite dans les bains.

*

L'émotion est intense dans l'étuve, lorsqu'on retire de la vasque d'eau chaude le corps de Gédémo, que des esclaves s'empressent d'emporter dans la salle froide.

Les baigneurs, allongés sur leurs banquettes, commentent l'événement.

« Est-il mort ? demande l'un.

— Non, évanoui seulement. La piscine d'eau froide le réveillera.

— La jeunesse d'aujourd'hui n'a plus aucune résistance. Du temps où nous faisions la guerre, c'était autre chose.

— Ce que tu dis est ridicule. Il s'agit d'un assassinat.

— Un assassinat ! Aux thermes ! s'exclame le premier baigneur. C'est impossible. »

Une silhouette fantomatique intervient à son tour.

« Il a raison. Rome devient une ville inhabitable.

— Moi, je vais dorénavant demeurer dans ma maison de campagne. Et j'y ferai construire des bains privés », conclut le premier baigneur.

10

Une nuit ineffable

En sortant des thermes de Trajan, Gédémo se dirige vers l'est et monte sur la colline de l'Esquilin. En cette fin de juin, le soleil est encore chaud pendant la neuvième heure et de très nombreux passants ont quitté les forums étouffants pour se promener et jouer aux dés ou aux échecs dans les vastes jardins agrémentés de fontaines et de bassins. Tous connaissent la maison de Marcus Julius Séverus et Gédémo n'a pas de peine à trouver son chemin.

Devant l'entrée à portique de la maison du sénateur, quatre centurions aux cuirasses rutilantes surveillent les lieux. Mais Gédémo est trop préoccupé par sa toilette pour s'inquiéter de leurs visages menaçants. Il se demande s'il n'est pas du dernier ridicule de se présenter en braies à un dîner aussi élégant. Et même s'il est ridicule, que peut-il faire d'autre puisqu'on lui a volé sa ceinture et qu'il n'a plus un as en poche ?

Comme si elle avait deviné ses craintes, l'esclave qui l'accueille dans l'atrium le conduit aussitôt dans une petite pièce claire et gaie.

« Cette chambre est pour toi », dit-elle en souriant.

Près du lit de repos, se trouve un coffre sur lequel sont disposés les habits nécessaires au repas. Décidé à se sentir citoyen romain jusqu'au bout des ongles, Gédémo tente de se draper dans une toge. Mais, faute d'exercice, il s'empêtre dans le long carré de laine, s'énerve, jure par les dieux immortels, et jette la toge par terre. Dépité, il se contente de mettre une tunique courte sur une tunique longue et un manteau léger.

*

La salle à manger d'été est une large terrasse, fermée sur trois côtés, et dont le quatrième s'ouvre sur un bassin rectangulaire. Des cygnes glissent gracieusement sur la pièce d'eau qu'entourent des statues. Gédémo monte avec gravité les trois marches qui permettent d'accéder à la terrasse, lorsqu'une esclave arrête son bras.

« Fais attention, lui dit-elle. Tu vas poser le pied gauche. »

Gédémo lui jette un coup d'œil surpris. Aussi l'esclave lui explique patiemment :

« Il faut poser d'abord le pied droit en entrant dans la salle à manger. Sinon, c'est un mauvais présage. »

Et elle pose sur son front la couronne de roses que l'on offre aux convives du festin.

Une autre esclave s'approche à son tour pour l'aider à enlever ses sandales, le débarrasser de son manteau léger, et lui enfiler la fine tunique de repas qui sert à se protéger des taches. Gédémo se dirige vers le sénateur qui lui demande :

« Comment as-tu trouvé les thermes ?

— On m'a volé.

— Il te faudra un esclave pour garder tes habits contre les voleurs, explique le sénateur avec un sourire amusé.

— On a voulu me tuer ! »

Le sénateur change brusquement d'expression. Il semble s'enfoncer dans ses pensées et oublier totalement son compagnon.

« La lettre pour l'empereur... » finit par dire Gédémo.

Le sénateur tressaille et le regarde d'un air absent.

« Je ne peux plus rien faire pour toi, dit-il.

— Et les chrétiens ? insiste Gédémo.

— Je ne peux rien faire pour eux non plus. Mais que craignent-ils, tes chrétiens ? Ils sont heureux

197

puisqu'ils ont la chance d'avoir un dieu qui les récompensera après leur mort.

— Et toi ? demande Gédémo qui ne comprend plus rien à l'attitude du sénateur.

— Moi, malheureusement, murmure le sénateur, je pense que croire à la vie éternelle, c'est perdre le bon sens. »

Puis, tressaillant à nouveau, il ajoute en changeant de ton :

« Mais maintenant, soyons heureux. »

Et il prend une coupe de vin qu'il lève vers le ciel en déclarant d'une voix forte pour tous ses invités :

« Jupiter Très Bon et Très Grand, accepte ce vin de Falerne. Qu'une fois encore il réchauffe notre cœur et réjouisse notre esprit. »

Alors il verse quelques gouttes du divin breuvage sur le sol. Chacun aussitôt se dirige vers son lit. Gédémo ne sait où se mettre et examine avec attention la répartition des lits de repas. Ils sont disposés en fer à cheval, autour d'une table basse. Il y a donc trois lits autour de chaque table. Sur chaque lit s'allongent trois personnes, ce qui fait neuf convives par table. Comme les invités sont au nombre de trente-six, il y a quatre groupes de lits, et Gédémo se demande lequel choisir. Le sénateur vient l'arracher à sa perplexité :

« Toi qui es l'ami d'un jour, et le plus jeune de tous, je désire t'avoir à côté de moi sur mon lit de repas. »

Dès qu'il est allongé sur son coude gauche, auprès du maître de maison, deux esclaves s'empressent de lui laver les pieds. Quelques instants plus tard, d'autres esclaves viennent lui présenter des mets inconnus et délicieux : médaillons de cervelle, oursins au miel, autruche rôtie, flamant d'Égypte bouilli aux dattes, langues de perroquet, murènes aux feuilles de laurier. Comme tous ces mets sont ravigotés d'épices qui enflamment le palais et font boire beaucoup de vin, Gédémo a la tête qui tourne et ne suit guère la conversation générale.

Soudain, Marcus Julius Séverus élève le ton pour s'adresser à l'assistance tout entière :

« Mes amis, l'heure est venue pour moi de vous quitter. Pendant que nous partagions cet humble repas, Commode, le fils de Marc Aurèle, a fait entourer ma maison par ses centurions. Je suis désormais son prisonnier, réduit à attendre qu'il m'arrête et me fasse exécuter. »

Un silence stupéfait tombe sur la joyeuse assemblée des convives. Quant à Gédémo, il a l'impression d'être en plein cauchemar.

La voix de Séverus s'élève à nouveau, vibrante et enflammée :

« Je ne laisserai pas à ce fils d'empereur, indigne et cruel, l'honneur de me donner la mort. Je ne lui accorderai pas le plaisir de me couper la tête et les mains

comme un nouveau Cicéron. Je ne lui donnerai pas
l'occasion de réquisitionner mes richesses. »

Et Marcus Julius Séverus lève une dernière fois son
verre de vin de Falerne.

« Je compte sur vous, mes amis, pour suivre après-
demain mes funérailles. Je compte sur mes enfants

pour perpétuer ma mémoire. Je compte sur les esclaves que j'affranchis ce soir pour entretenir ma tombe. »

Le sénateur vide d'un trait sa coupe de Falerne.

« Loué soit Jupiter Très Bon et Très Grand, de m'éviter une mort lamentable. Maintenant, amis, réjouissez-vous, buvez, mangez, et venez me saluer de temps en temps devant mon tombeau. »

Séverus repose son coude, s'allonge sur le dos et tend son bras gauche hors du lit. Un chirurgien s'approche et d'un coup sec tranche l'artère du bras dont le sang éclabousse les mosaïques du sol.

*

La nuit est silencieuse sur la colline de l'Esquilin. La tramontane apporte du nord une agréable bise fraîche. Caton, que son maître vient d'arracher à la digestion béate d'un festin pour chien, se traîne de fort mauvaise humeur. Les idées de Gédémo sont tout aussi sombres. Il cherche vainement à chasser de son esprit la vision du suicide du sénateur. Que faire maintenant, sans protecteur et sans un as en poche ? Est-ce ainsi qu'il aidera Toutilla ? Toutilla ! La seule évocation de son amie lui redonne la joie au cœur. Comment a-t-il pu l'oublier pendant quelques heures ? Il faut qu'il la retrouve immédiatement. Oui, même au milieu de la nuit. Il ne peut attendre davantage. Et se guidant sur la masse sombre du Colisée qui se détache sur le ciel, il se faufile à travers des ruelles étroites et obscures, bordées de maisons de cinq ou six étages.

C'est alors que Caton pousse un gémissement. Il vient de recevoir sur la tête le contenu d'un pot de chambre. Le poil trempé, les narines offusquées, il ne cesse de gémir. Indigné, Gédémo recule d'un pas, lève la tête vers une fenêtre ouverte du cinquième étage où brille une chandelle, et crie :

« Canaille ! Triple canaille ! »

Une jeune fille, les cheveux dénoués, se penche à la fenêtre :

« Cesse de crier comme un cochon qu'on égorge, ou le prochain pot sera pour ta tête rousse. »

La colère brûle dans le cœur du garçon qui persiste à s'égosiller :

« Canaille ! Pendard ! Scélérat ! »

D'autres locataires apparaissent aux fenêtres pour prier Gédémo de se taire.

« Tu ne vas pas remuer ciel et terre pour un pot de chambre ? s'exclame une femme.

— Si tu n'arrêtes pas de hurler, je te ferai taire de force », menace son voisin.

Des hommes loqueteux, mendiants, voleurs, rôdeurs de nuit, profitant du désordre, viennent s'agglutiner auprès de Gédémo.

« Si tu me donnes dix as, propose l'un à voix basse, je mets le feu à leur immeuble. »

Gédémo hausse les épaules en montrant ses mains vides. Et, comme s'il avait véritablement perdu l'esprit, il recommence à vociférer contre les locataires.

L'attroupement finit par bloquer la circulation. Des chariots, pleins de poisson, de bois, de vin, de porcs, forment un gros embouteillage dans un capharnaüm incroyable.

« Hé ! toi, les cheveux roux, cesse de te démener et laisse-nous passer ! crie un marchand.

— T'as qu'à passer demain ! » répond Gédémo.

Les rires et les insultes pleuvent aussitôt.

« Qui est cet imbécile ? » demande un marchand gros et fort qui descend de son chariot pour s'approcher du garçon d'un air menaçant.

Un passant plus complaisant lui murmure à l'oreille :

« À Rome, les véhicules n'ont pas le droit de rouler de jour. Et la nuit, ils ne tiennent pas à rencontrer des abrutis comme toi. Tu ferais mieux de déguerpir au plus vite, avant qu'on ne t'assomme. »

Gédémo, brusquement, se sent ridicule.

« La voie Appia ? marmonne-t-il piteusement.

— Derrière le Colisée, à gauche, puis tout droit. »

*

La voie Appia est déserte et sombre et il paraît impossible, à cette heure tardive, d'y retrouver Toutilla. Gédémo cependant continue à errer. Après avoir dépassé les maisons endormies il se retrouve parmi les tombes. Les riches tombeaux décorés de sculptures se dressent orgueilleusement en bordure de la route, tandis que par-derrière se massent les humbles sépultures. Plus loin, des fossoyeurs jettent dans la fosse commune les cadavres abandonnés dans les rues de la ville. Plus loin encore, les tombes se font rares. Ici et là, les cyprès dressent leurs pures et noires silhouettes qu'incline le vent du nord.

Gédémo se sent fatigué, perturbé même, par les émotions de la journée. La capitale du monde est à la fois beaucoup plus belle et plus violente qu'il ne l'avait imaginé. Maintenant il voudrait dormir et ne plus penser à rien. Il s'approche donc d'un groupe de cyprès pour faire un somme à leurs pieds, lorsque Caton se met à grogner et entraîne son maître vers une grosse butte à une centaine de pas de la voie.

Dans la pente de la butte, Gédémo remarque une ouverture consolidée sur les côtés par des briques superposées. Derrière cette embrasure s'étend une galerie sombre au fond de laquelle vacille une pâle lueur. La curiosité réveille aussitôt Gédémo qui pénètre à l'intérieur de la butte.

L'entrée se resserre rapidement en un long couloir très étroit mais très haut. Les parois de ce couloir exigu sont couvertes de plaques de pierre sur lesquelles sont inscrits des noms et des dessins représentant une croix, un poisson, une colombe. De temps à autre, de petites lampes à huile, encastrées dans les murs, alimentent de fragiles flammes. Bientôt, le murmure d'un chant doux et psalmodié parvient à ses oreilles.

Gédémo, de plus en plus intrigué, avance jusqu'au bout de l'interminable couloir. Celui-ci se prolonge par un escalier qui descend vers une autre galerie, plus souterraine, mais identique à la première. Partout encore, des plaques, petites et grandes, couvrent les murs, avec les inscriptions de la croix, du poisson et de la colombe.

Le chant cependant se fait plus proche, et la lumière plus forte. Enfin Gédémo arrive près d'une petite salle, creusée dans la roche, à gauche de la galerie. Et son cœur tremble de joie. Dans la petite pièce se trouvent Toutilla, un homme aux larges épaules d'une quarantaine d'années et six ou sept autres personnes. Tous psalmodient en chœur, les paumes ouvertes :

« À ceux qui souffrent pour la justice, Seigneur, donne la paix.

— À ceux qui souffrent pour la charité, Seigneur, donne la paix.

— À ceux qui souffrent pour la vérité, Seigneur, donne la paix. »

Puis les chrétiens ferment les yeux pour prier en silence.

Gédémo n'ose pas troubler leur méditation. Après le tumulte des heures précédentes, il est saisi par la douceur et le calme qui règnent sous cette voûte souterraine. Sur le mur qui lui fait face et clôt la petite chapelle, au-dessus d'un tombeau, est peint un berger qui tient une brebis autour du cou. Le berger est jeune et porte une tunique. Son visage, noble et beau, exprime une immense bonté. Gédémo ne peut quitter des yeux la fresque du pasteur à la brebis. Il lui semble que son

regard transperce ses pensées, et qu'il entend sa voix lui dire :

« Gédémo, suis-moi. Gédémo, viens avec moi. Tu porteras ma parole jusqu'aux frontières de l'empire. »

Et dans le cœur de Gédémo monte une joie extraordinaire, la joie d'un amour incomparable, la flamme légère et inépuisable de la vie avec le Christ. L'émotion est si forte que des larmes de bonheur coulent de ses yeux et qu'il s'écrie :

« Seigneur, est-ce là le signe de ton amour ? »

À ces mots, l'assemblée des chrétiens se retourne.

« La paix soit avec toi, frère », dit sans aucun signe de surprise l'homme aux larges épaules.

Toutilla est rayonnante de joie.

« C'est Gédémo, dont je t'ai parlé », explique-t-elle.

Gédémo, encore tout stupéfait du feu qui brûle dans son cœur, demande :

« Ce bonheur vient-il de Dieu ? »

L'évêque, ému, lui répond :

« Sois heureux, frère, que le Seigneur fasse descendre sur toi la flamme de l'Esprit Saint. Maintenant viens prier pour le remercier de sa miséricorde. »

Gédémo, encore ahuri par ce qui lui arrive, demande :

« Suffit-il d'être heureux pour être chrétien ?

— Il suffit pour être chrétien, répond l'évêque, d'aimer Jésus plus que tout au monde, de le prier, et de suivre son exemple dans l'amour et dans la pauvreté. »

Gédémo, débordant d'enthousiasme, et sans écouter davantage déclare :

« Je veux, toute ma vie, garder cette joie que je viens de connaître. Ne puis-je être baptisé tout de suite ? »

L'évêque de Rome esquisse un rapide sourire devant cette impatience et reprend d'un ton grave :

« Le baptême est un sacrement auquel on se prépare longtemps. Il te faudra apprendre l'enseignement du Christ, prier, jeûner. Il te faudra comprendre qu'aimer le Christ te fera renoncer à beaucoup d'honneurs et à beaucoup d'affections.

— Mais cela ne me fera pas renoncer à Toutilla ? s'inquiète Gédémo.

— Non, fait l'évêque avec bonté. Elle sera chargée de t'apprendre l'évangile. Et aussi, ajoute-t-il avec malice, de t'apprendre l'humilité. »

Et suivi par les autres frères, il disparaît dans les hauts couloirs des catacombes.

*

Le cœur de Toutilla déborde de bonheur. Maintenant que son amour pour le Christ ne la sépare plus de son amour pour Gédémo, elle se sent aussi légère que la colombe du Saint-Esprit.

« Regarde, dit-elle en montrant les plaques de pierre qui s'étagent sur les murs et renferment les sépultures des chrétiens, ce sont tous ces morts qui ont prié le Seigneur pour toi. Ils ont fait tant de bruit dans le ciel que le Christ est venu te chercher. »

Puis elle pose sa tête sur l'épaule de son ami.

« Gédémo, c'est merveilleux, nous avons le même Dieu.

— Le seul vrai Dieu, reprend le garçon, celui qui a fait le ciel et la terre. »

Tout ce que, jusqu'ici, il avait entendu dire par les chrétiens sans le comprendre, se bouscule maintenant, clair, évident, lumineux, dans son esprit.

« Ce Dieu qui pouvait se manifester dans la gloire et qui a envoyé son fils naître humblement dans une étable. Ce Dieu dont la puissance est infinie et qui a laissé ce fils mourir sur la croix afin de nous délivrer du péché. Ce Dieu qui, enfin, a ressuscité le Christ d'entre les morts pour que nous partagions avec lui le bonheur de la vie éternelle. »

La voix de Gédémo, enflammée par la passion, résonne d'échos en échos dans les longs labyrinthes des catacombes, et il semble qu'entendue par les centaines de chrétiens couchés dans leurs lits d'éternité, elle monte jusqu'au ciel où seront jugés les vivants et les morts.

« Gédémo, s'écrie Toutilla, tu as reçu le don de l'éloquence !

— Crois-tu ? s'étonne le fils du flamine.

— Tu parles mieux que l'évêque de Rome. »

Gédémo éclate de rire :

« Mon père ne dira plus : "Si tu continues comme cela, tu finiras gladiateur." »

Toutilla met ses bras autour du cou de son bien-aimé et déclare :

« Nous resterons toujours ensemble, maintenant.

— Toujours. »

Et Gédémo ajoute d'un ton grave :

« Je te fais le serment, Toutilla, de me faire baptiser, de te prendre pour épouse et de t'aimer toute ma vie.

— Je te fais le serment, Gédémo, d'être ta femme, et de t'aimer toujours dans l'amour du Christ. »

Caton, en tant qu'unique témoin de ce serment d'amour et de foi, se met à aboyer longuement, si longuement que Gédémo finit par se tourner vers lui pour lui dire avec courtoisie :

« Jusques à quand, enfin, Caton, tes aboiements abuseront-ils de notre patience ? »

Heureux, confiants, ravis, les nouveaux fiancés explorent les galeries en détaillant les fresques et les dessins inscrits sur les parois. Lorsqu'ils reviennent vers la chapelle du Bon Pasteur, Toutilla déclare :

« Demain, il faudra apporter la lettre à l'empereur. »

Le souvenir des événements de cette première journée et des menaces qui semblent planer de partout inquiète Gédémo.

« Il se peut que nous soyons séparés quelque temps, murmure-t-il.

— Que veux-tu dire ? »

Gédémo reste un moment perplexe, puis finit par sourire.

« Je ne sais pas. J'ai eu un pressentiment. Mais maintenant c'est fini. »

Puis regardant Toutilla avec tendresse, il ajoute :

« Veux-tu faire une cérémonie secrète, rien que pour nous deux ?

— Une farce ? » demande Toutilla gaiement.

Alors Gédémo s'approche de son amie et défait lentement la grosse natte qui pend dans son cou.

« Je n'ai pas d'épée pour partager tes cheveux, mais depuis longtemps je désire faire ce geste du mariage : nouer six tresses autour de ta tête. »

Et maladroitement il se met à natter les longs cheveux de Toutilla. Puis il ajoute :

« Je n'ai pas de voile jaune pour recouvrir ton visage en signe de bon augure, mais ce baiser te portera chance. »

Et doucement, il embrasse son amie.

« Je n'ai pas de demeure où je puisse te ramener. Mais j'ai des bras très confortables. »

En un clin d'œil il soulève Toutilla et l'emporte devant la salle où le berger tient sa brebis sur l'épaule.

« Je te fais franchir ce seuil, qui n'est pas celui d'une maison particulière, mais celui de tous les lieux où se trouve le Christ. Là, sera notre maison. »

Lorsque Toutilla a franchi le seuil et se retrouve debout, elle défait lentement la bandelette de laine bleue qui attachait sa tresse, et en renoue les brins en une cordelette fine et serrée dont elle fait deux anneaux.

« En attendant notre vrai mariage et notre véritable anneau de fer, je te donne ce petit anneau de laine. »

Et elle enroule autour de l'annulaire de Gédémo le cordon de laine bleue. Gédémo, à son tour, lui passe l'alliance improvisée.

Toutilla le regarde un moment en silence, heureuse et émue, et déclare :

« Notre vie sera un long jour de fête. »

*

Au point du jour, resplendissants de bonheur et d'amour, les fiancés rejoignent la maison de l'évêque.

Dans l'allée des cyprès, tourné vers le soleil levant d'où surgit la lumière, l'évêque de Rome, debout, entouré de frères et de sœurs, termine la prière matinale. Puis tous se prosternent sur le sol en signe d'humilité.

« Gédémo a reçu le don de l'éloquence », explique Toutilla avec fierté.

L'évêque ne manifeste aucun étonnement et se contente de constater :

« Le Seigneur donne les talents et les grâces selon sa volonté mystérieuse. »

Puis il se tourne vers une jeune femme brune, au visage ovale et régulier :

« Voici Marcia, une parente de Marc Aurèle. Tu peux lui confier le message du légat. »

Marcia intervient à son tour :

« Je le donnerai à Marc Aurèle aujourd'hui ou demain. Toi, tu viendras le jour de Saturne à l'audience qu'il donne en son palais. Il te donnera sa réponse. »

Marcia est douce mais inflexible et dégage une indéniable autorité. Gédémo lui tend la tablette cachée dans une poche secrète de sa tunique de dessous.

« En attendant, lui dit Marcia, méfie-toi de Rome. »

Gédémo se met à rire :

« Je n'ai rien à faire d'autre à Rome, que prier Dieu, apprendre avec Toutilla son enseignement, et me rendre demain matin aux funérailles de Marcus Julius Séverus. »

11

Caton fait une bêtise

À l'aube du jour de Vénus, Gédémo et Caton rejoignent le cortège funèbre de Marcus Julius Séverus. Le sénateur, sur un lit de parade porté par des esclaves, est revêtu de sa toge à bande pourpre et de ses bottines rouges. Derrière lui marchent les pleureuses, puis les porte-enseignes qui dressent les aigles de la légion où le sénateur a conquis sa célébrité. Ensuite viennent les ancêtres du mort. Ils sont représentés par des masques de cire que des proches mettent sur leur visage. Enfin se presse la foule des amis, des clients, des affranchis. Les hommes portent une toge sombre en signe de deuil, et les femmes les cheveux dénoués en signe de chagrin.

Le cortège emprunte la voie sacrée et s'arrête sur le forum au pied du Capitole. On dépose alors sur la tribune aux harangues le prestigieux défunt, tandis que de part et d'autre les porteurs d'enseignes s'installent sur des chaises d'ivoire.

Le peuple s'agglutine sur la place, sur les marches des basiliques et des temples pour jouir de l'éloquence du fils aîné de Séverus qui rend un dernier hommage à son père. Le jeune homme, dans sa toge noire, debout dans la tribune, harangue la foule :

« Peuple romain, celui que nous pleurons aujourd'hui est connu de vous tous. Vous l'admiriez, vous l'aimiez pour son courage, son sens de la justice, son respect des lois. Nul n'est venu en vain implorer son conseil et son soutien. »

Gédémo n'écoute plus l'éloge du mort. À nouveau il regarde cette place dont toutes les pierres parlent de la grandeur de Rome : de ses dieux, de ses divins empereurs, de ses victoires, de ses orateurs dont l'éloquence changeait le cours du monde. Et voilà que cette place de marbre se met à trembler sous ses yeux. Il voit les statues tomber de leur socle, les colonnes se renverser, les temples s'effondrer jusqu'à ce que cet amas de briques et de pierres brisées se recouvre d'herbes folles et de plantes sauvages. Puis la vision se trouble encore, et Gédémo voit des croix qui se dressent sur le Capitole, sur les basiliques, sur d'anciens et nouveaux temples.

C'est Caton qui l'arrache à ses étranges visions. Près du temple du divin Jules, le bouledogue, la gueule écumante, tourne comme un fou autour d'une splendide litière portée par de longs Syriens. Elle est fermée par des rideaux pourpres à rayures blanches. Entre deux rideaux, apparaît la tête d'un énorme serpent qui dirige vers Caton sa langue sifflante. Le chien aboie frénétiquement devant cet animal inconnu, puis saute dans la litière pour se battre avec lui.

« Caton, reviens ! » crie en vain Gédémo.

De la litière pourpre sortent des sifflements, des cris, des grognements. Enfin Caton ressort emportant dans sa gueule une perruque, une superbe perruque aux longues boucles blondes. Immédiatement, les rires et les quolibets fusent de tous côtés.

« La canaille a une perruque ! dit l'un.

— Quelle blague ! Il est chauve, ce soi-disant descendant des dieux ! »

Un enfant arrache la perruque de la gueule de Caton et la lance en l'air. Aussitôt rattrapées, les longues boucles dorées courent de main en main, tandis que les enfants se mettent à scander :

« Alexandre a une perruque ! Alexandre a une perruque ! »

Gédémo, ahuri, tente de comprendre l'étrange réaction populaire. Il ne voit pas le visage de Brennos qui écarte le rideau, jette un coup d'œil à l'extérieur et plisse les yeux de satisfaction.

À l'intérieur de la litière, la longue robe assortie aux rideaux afin d'être toujours reconnu par tous, Alexandre songe au ridicule dans lequel le plonge cet incident.

« Connais-tu ce chien et son maître ? » demande-t-il à son nouvel esclave.

Brennos s'amuse à lancer en l'air la médaille que Marc Aurèle a fait graver à l'effigie de son mage Alexandre.

« Je te donnerai dix deniers si tu m'apprends le nom du garçon », reprend Alexandre.

Brennos ne résiste pas plus longtemps :

« Le chien s'appelle Caton. Son maître est Caius Julius Gédémo, de Lugdunum. Il est venu pour sauver des chrétiens. »

Alexandre émet un petit sifflement d'admiration, puis déclare en riant :

« Attends-toi, Brennos, à admirer mes talents dans l'art de mystifier les hommes. »

*

À la sixième heure du jour, le soleil tape durement sur les amis et parents de Séverus réunis autour de son tombeau sur la voie Flaminia. Un grand bûcher a été préparé, recouvert de fleurs multicolores, sur lequel on étend le corps du sénateur. Son fils aîné, réprimant ses larmes, s'approche de lui, pour ouvrir ses paupières, en disant :

« Père, regarde une dernière fois la lumière du soleil. »

Puis il saisit une torche et fait le tour du bûcher afin de l'enflammer de tous côtés.

Pendant que se prolonge le rituel funéraire, Gédémo considère que toutes ces pratiques sont compliquées et stupides. Cet encens que l'on répand, ce lait que l'on verse par terre, ce vin que l'on offre aux ancêtres pour qu'ils reçoivent l'âme du mort, ces pleureuses qui doivent attendrir les dieux infernaux, tout cela lui paraît désormais futile et vain par rapport à cette vérité unique : chacun sera jugé sur l'amour qu'il aura donné. Et, se tenant à l'écart de l'assistance qui gémit auprès du cadavre en flammes, il prie en silence :

« Seigneur, mon Dieu, toi qui m'as fait découvrir dans ta miséricorde le chemin de la vérité, reçois auprès de toi Marcus Julius Séverus qui fut bon pour les autres. »

C'est alors que quatre hommes le saisissent violemment, le tirent derrière un cyprès où ils le bâillonnent avec un morceau d'étoffe. Gédémo a juste le temps d'apercevoir Caton, muselé et garrotté, que l'on jette dans une carriole.

*

« Que fais-tu ? » demande Brennos intrigué.

Alexandre, penché sur un coffre de cuivre, fouille fébrilement dans ses trésors. Brennos, patiemment, examine les lieux. La chambre secrète du mage, creusée dans la pente du Palatin, est petite, sans fenêtre, dissimulée derrière la salle commune qui donne sur la rue. Les murs et les plafonds sont tendus de rideaux aux couleurs du mage : pourpres avec des rayures blanches. Dans un coin le serpent, en réalité inoffensif et doux, ouvre son énorme mâchoire pour dévorer crus des merles et des perroquets qu'on vient de lui servir avec un bol de lait.

« Je l'ai trouvée ! » s'exclame Alexandre.

Et il extirpe une grosse tête de toile, teintée à la poudre noire, et dont la figure est semblable à celle d'un serpent. Deux pierres précieuses lui donnent un regard étincelant et sa bouche s'ouvre sur une longue et fine langue rouge. Brennos ne peut s'empêcher de frémir tant la tête a l'air vivante.

« Pour me venger, explique Alexandre, je vais devoir recourir à un stratagème de ma jeunesse. Dieux immortels ! À mon âge, devoir faire tant d'efforts pour éviter le ridicule ! »

Alexandre tend à Brennos la marionnette animale d'où pendent de longs fils de crin presque invisibles, et déclare :

« Maintenant, voici mes ordres. Monte dans la soupente et ouvre la trappe. »

Par une échelle de bois cachée derrière les rideaux, Brennos accède à un petit réduit qui se trouve au-dessus de la chambre secrète. Une trappe dans le plancher permet de communiquer avec la pièce inférieure. D'en bas, dans la chambre secrète, les tentures qui doublent le plafond ne permettent pas de remarquer la trappe. Mais par en haut, à travers les fentes aménagées dans les tentures on surveille facilement ce qui se passe en dessous. C'est à travers ces fentes qu'Alexandre, juché sur un tabouret, tend à Brennos les fils attachés à la tête de toile, en lui disant :

« Maintenant, fais-la bouger. »

Brennos s'emmêle dans les fils de crin. Certains font remuer les yeux, d'autres ouvrir la bouche, d'autres tirer la langue, et il est fort malaisé de gouverner la marionnette.

D'un ton ironique Alexandre déclare :

« Exerce-toi pendant que je vais souper. Car demain, je vais avoir la visite d'un auguste et effrayant ami : l'empereur. »

*

Sur la colline du Palatin qui surplombe le forum, l'empereur achève de souper. Pendant ce temps, Marcia arpente les grandes cours désertées pour la salle de repas et les cuisines. Elle prie le Seigneur de lui inspirer les paroles capables de fléchir Marc Aurèle en faveur des chrétiens de Lugdunum.

Lorsque le palais est devenu silencieux, traversé ici et là par quelque esclave brandissant une torche, Marcia se dirige vers la bibliothèque grecque où l'empereur médite chaque soir. Car Marc Aurèle est aussi philosophe, fervent adepte du stoïcisme.

Assis à une table, il est plongé dans la rédaction des « Pensées » qu'il écrit pour lui-même.

Au bruit de la porte qui se referme, il lève un visage noble et modeste où se lit la bonté.

« Marcia, dit-il avec douceur, comment te portes-tu ? »

Marcia s'incline légèrement devant l'empereur et lui tend la tablette de cire du légat. En reconnaissant le sceau du gouverneur impérial, Marc Aurèle s'étonne :

« Pourquoi ce message me parvient-il par ton intermédiaire ?

— Pour que je puisse servir d'avocat aux chrétiens, répond Marcia avec calme.

— Ah ! les chrétiens ! soupire l'empereur en ouvrant la tablette de cire dont il déchiffre gravement le message. Décidément cette secte crée toujours des problèmes.

— Mais pourquoi s'acharne-t-on contre eux ? s'exclame Marcia avec ferveur. Ce sont de bons citoyens. Ils sont doux, travailleurs, et respectent ton autorité. »

Marc Aurèle redresse son corps mince et délicat et arpente la bibliothèque.

« Tu sais que je tolère les chrétiens. N'es-tu pas chrétienne toi-même ? D'ailleurs je tolère toutes les religions. Mais je ne peux accepter que l'on trouble la vie publique.

— Ils ne sont pourtant pas responsables de la sécheresse, remarque Marcia.

— Certes non, reprend Marc Aurèle de sa voix égale et douce. Mais lorsque les chrétiens se moquent de nos dieux et refusent nos sacrifices, ils deviennent des ennemis de l'État. »

Marcia insiste pour défendre ses frères :

« Tu ne peux laisser commettre une injustice. Ce serait agir contre toute sagesse. »

Marc Aurèle répond avec gravité :

« La sagesse consiste à se soumettre à la raison universelle. »

À ce moment, un esclave apporte, dans un bol de céramique, une bouillie à l'odeur écœurante.

« Que bois-tu là ? s'étonne Marcia.

— J'ai des maux d'estomac. Ce remède m'a été envoyé en songe. C'est un mélange de cervelle de caille et de foie de taureau qui doit être fait à la première heure du jour. »

Marcia est consternée qu'un empereur si modéré et raisonnable soit la proie de superstitions.

« Crois-tu vraiment que les dieux s'occupent d'envoyer en rêve des recettes contre nos maladies ? »

Marc Aurèle lui répond avec conviction :

« Les dieux dirigent le monde selon la raison universelle. Faut-il s'étonner que pour nous aider à vivre selon cette raison, ils nous envoient parfois des inspirations ?

— Et te crois-tu privilégié pour entendre les dieux ?

— Non, répond modestement l'empereur. Certains, comme Alexandre, entendent mieux que moi leurs communications. »

Marcia, à la fois inquiète et indignée, demande :

« Et si tu crois que le Ciel te communique de châtier les chrétiens, feras-tu mourir des innocents ? »

Marc Aurèle réfléchit un moment avant de déclarer :

« Je prendrai ma décision loin de toute passion. Je la prendrai de telle sorte qu'elle soit conforme à la grandeur de Rome et à l'ordre voulu par les dieux. »

*

Marc Aurèle dort sur une peau de bête posée à même le sol, afin d'endurcir son corps. Il est encore plongé dans le sommeil lorsque de grands cris parviennent à ses oreilles. Il se lève, ouvre la porte de sa chambre et aperçoit un spectacle incongru. Dans la cour intérieure, sous les lueurs capricieuses des torches accrochées au mur, nu, brandissant une épée recourbée, Alexandre tourne autour de la fontaine en criant :

« Méfie-toi des chrétiens ! Méfie-toi des chrétiens ! »

Puis il disparaît derrière une grande porte de bois sculpté. Marc Aurèle, troublé, se sent soudain vieux et affaibli. Il regarde un moment la statue de la Fortune dont l'or étincelle dans sa modeste chambre et se dit :

« Je suis à mon couchant. Il est temps que je fasse

porter cette statue dans la chambre à coucher de Commode, afin qu'il me succède. »

Puis il interpelle un esclave qui, toute la nuit, surveille sa chambre :

« Va dire à Alexandre que j'irai le voir, ce matin, avant mon audience, dès la première heure du jour. »

*

Dans la chambre secrète du mage, tout est prêt pour accueillir l'empereur. En haut, caché dans la soupente au-dessus de la trappe, Brennos s'apprête à tirer les fils de la marionnette. En bas, dans la chambre tendue de rideaux pourpres à rayures blanches, assis dans un fauteuil, Alexandre prépare sa ruse.

Autour de son cou, il enroule son long serpent inoffensif dont il cache la tête sous le bras droit. À la place de la tête du vrai serpent, il pose devant son épaule l'énorme tête de la marionnette, qui est suspendue par des fils invisibles. La pièce étant plongée dans une semi-pénombre, et de surcroît obscurcie par la fumée de l'encens, il est impossible de voir le stratagème.

Bientôt un esclave arrive en courant, se prosterne devant Alexandre comme s'il était un dieu et déclare :

« L'empereur descend les jardins du Palatin et se dirige vers ta demeure.

— Que personne ne nous dérange », ordonne son maître.

L'esclave se retire. Alors Alexandre prend à côté de

lui une longue herbe, la saponaire, dont les teinturiers
utilisent la racine pour faire du savon. Car cette racine,
plongée dans l'eau, produit immédiatement beaucoup
de mousse. Elle en produit également en se mélang-
geant à la salive lorsqu'on la mâche énergiquement. Ce
que le mage s'empresse de faire.

Lorsque Marc Aurèle entre dans la pièce, il est saisi d'effroi et de vénération à la vision de cette écume blanche, signe de l'inspiration divine, qui sort de la bouche du mage. Alexandre est d'ailleurs tellement possédé par les dieux que ses yeux sont révulsés et que son corps est secoué de spasmes. Enfin ses lèvres baveuses finissent par dire :

« Auguste, César, divin empereur, fils de Jupiter, écoute par la bouche de ce serpent divin les communications des dieux. »

Brennos, caché dans la soupente, se met immédiatement à tirer les fils de crin pour ouvrir la bouche de la marionnette et tirer sa langue pointue. En même temps, modifiant le timbre de sa voix qui semble tomber du ciel, il déclare :

« Le garçon aux cheveux roux flambant dans le soleil est messager de malheur. La secte du ressuscité veut détruire les dieux et l'empire. La malédiction plane sur ton palais. Seule, la mise à mort t'en délivrera. »

Le serpent marionnette tourne des yeux révulsés puis baisse la tête. Alexandre à son tour pousse un cri strident et ferme les yeux. Tous deux restent longtemps prostrés dans la torpeur qui saisit toujours celui qui vient d'entendre les messages divins.

Marc Aurèle n'ose pas perturber ce silence religieux et sans un mot quitte la maison du mage. Il est profondément troublé et lutte avec lui-même pour retrouver le calme qui, seul, permet de suivre la volonté du Ciel.

Toutilla attend Marcia à l'angle de la voie sacrée et du chemin du Palatin. À sa grande surprise, elle remarque que tout le monde s'incline devant une modeste silhouette qui monte en direction du palais.

« Ce doit être Marc Aurèle, » se dit-elle.

Et tout en le regardant s'avancer entre les buis et les lauriers-roses, elle ne peut s'empêcher de s'étonner.

« Est-il possible, songe-t-elle, que ce visage doux et résigné qui ne possède ni l'énergie de l'évêque de Rome, ni l'allégresse de l'évêque de Lugdunum, soit le maître de l'univers ? »

Peu de temps après que Marc Aurèle a disparu en haut de la colline, Marcia descend à la rencontre de son amie.

« Gédémo a disparu », annonce Toutilla, les larmes aux yeux.

Marcia ne paraît guère troublée :

« Peut-être a-t-il bu dans une taverne ? Ou s'est-il laissé enfermer dans les thermes ?

— C'est impossible, affirme Toutilla. Il lui est arrivé quelque chose de grave. Il faut le rechercher immédiatement. »

Marcia passe doucement sa main sur les tresses de son amie :

« Plus tard. Je dois d'abord m'occuper de la décision de l'empereur.

— Mais Gédémo, je l'aime ! » s'écrie Toutilla.

Marcia reste imperturbable.

« Tu aimes encore plus notre Seigneur. Pour le moment, ce qui importe, c'est que l'empereur renonce à persécuter les chrétiens. Ce sera une grande victoire pour l'Église du Christ.

— Et Gédémo ? » répète Toutilla.

Marcia a un léger sourire :

« Je parlerai de Gédémo au préfet de la ville. Ne t'inquiète plus et retourne chez l'évêque prier pour nos frères. »

*

Il fait un soleil resplendissant lorsque vers la cinquième heure, Brennos descend un petit escalier qui conduit à une sorte de cave sous la maison du mage. Il ouvre une porte de bois très basse fermée par un loquet de fer.

« Sors de là », ordonne-t-il.

Gédémo émerge de son antre noir en se courbant sous la porte, et, reconnaissant Brennos, se contente de dire :

« Je suis citoyen romain. Personne n'a le droit de m'enfermer sans raison. J'exige de voir l'empereur. »

Brennos émet un ricanement bref et répond :

« Tu le verras, aujourd'hui même. Dans moins d'une heure. »

Et Brennos se remémore les directives précises d'Alexandre : Gédémo doit arriver exactement à la sixième heure, lorsque le soleil inonde de ses rayons la cour sur laquelle donne la basilique du palais.

*

Sur le Palatin, dans sa basilique, ou salle de justice, l'empereur reçoit depuis le matin. La pièce est longue et sombre, traversée par deux rangées de colonnes. De belles fresques décorent les murs et le sol est dallé de marbre vert et rose.

Avec patience, l'empereur a écouté les délégués des provinces, les chefs de légion, les magistrats de la ville qui sont venus rendre compte de leurs missions et demander directives et conseils. À nouveau l'empereur sent une grande lassitude. Il lui est pénible de rester si longtemps assis en prêtant attention aux uns et aux autres. Il souhaiterait pouvoir se consacrer uniquement à la méditation.

Soudain, les hautes portes de la basilique s'ouvrent sur un flot de lumière, cette lumière blanche et aveuglante que projette le soleil de juillet lorsqu'il se trouve au milieu du ciel. Dans ce halo lumineux s'avance la figure de la malédiction annoncée par Alexandre : la haute stature d'un garçon dont les cheveux roux flambent dans le soleil.

L'empereur cherche à réprimer le grand tumulte qui agite son cœur.

« Qui es-tu ? demande-t-il.

— Je suis Caius Julius Gédémo.

— Que veux-tu ?

— Je viens chercher ta réponse pour le légat de Lugdunum. »

Cette remarque précipite l'empereur dans un grand trouble.

« Il s'agit bien des chrétiens », se répète-t-il, foudroyé par la justesse des prophéties du serpent d'Alexandre.

Pendant un moment l'empereur reste muet, entièrement occupé à retrouver son calme. Pour écarter les derniers doutes qui traversent encore ses pensées, il demande :

« Et toi, que penses-tu de cette secte étrangère dont m'entretient le légat ?

— Je suis chrétien, affirme Gédémo.

— Alors tu crois à la résurrection de ce Jésus ?

— Je le crois », répond le garçon, surpris par le ton de l'entretien.

Définitivement convaincu de la menace que représente ce messager chrétien annoncé par son mage, Marc Aurèle lui demande d'un ton brusquement sévère :

« Reconnais-tu les divinités de Rome ?

— J'appartiens au Dieu unique qui a fait le ciel et la terre.

— Veux-tu dire que tu n'es pas soumis à l'autorité de l'empereur ? »

Gédémo, ahuri de se retrouver dans un interrogatoire, répond des paroles inspirées par une force inconnue.

« Je rends à César ce qui est à César et à Dieu ce qui est à Dieu.

— Alors, tu seras condamné à mort », reprend immédiatement Marc Aurèle.

Gédémo, à son tour, est abasourdi par la conclusion de ce bref entretien.

« De quel délit suis-je coupable ? » s'exclame-t-il.

Marc Aurèle ne peut réprimer sa colère :

« Tu blasphèmes les dieux qui ont fait la grandeur de Rome, tu refuses la divinité de ton empereur, tu portes donc atteinte aux fondements de l'État. »

Et comme Gédémo lève vers lui un regard interrogateur, il reprend :

« Ignores-tu que conformément à la loi sur la majesté du peuple romain, toute atteinte à la majesté de l'empereur mérite la peine de mort ? »

Et, après un bref silence, Marc Aurèle conclut :

« Demain, tu seras décapité. »

*

À l'heure de la sieste, lorsque les cigales stridulent dans les jardins du Palatin, Marc Aurèle, dans sa bibliothèque, prend un stylet et grave dans une tablette de cire :

« L'empereur Marc Aurèle, César, Auguste, au légat des Trois Gaules : Au nom du Sénat et du peuple romain, les prisonniers de Lugdunum qui s'avoueront chrétiens seront condamnés à la peine capitale, et ceux qui renieront leur foi seront absous. »

La porte de la bibliothèque grecque s'ouvre bruyamment et Commode entre en éclatant de rire.

« Tu médites trop, mon père, et tu ne profites pas de la vie. »

Marc Aurèle regarde son fils avec bienveillance. C'est un grand gaillard de seize ans, au front étroit et à la bouche gourmande.

« J'ai appris, lui dit son père d'un ton de reproche, que par ta faute, Marcus Julius Séverus s'est donné la mort.

— Aurais-tu préféré qu'il continue à critiquer sans cesse le futur empereur ? Car bientôt, je serai empereur, n'est-ce pas ?

— Pour bien gouverner les hommes, il ne faut pas répondre à la colère par la colère », constate doucement Marc Aurèle.

Commode éclate d'un rire qui sent fort le vin de Falerne.

« Justement, je viens te demander de me donner comme gladiateur ce garçon de Lugdunum que tu as condamné à mort. On dit qu'il est grand et fort. J'organise des jeux dans l'amphithéâtre. Il y fera merveille. »

Marc Aurèle regarde son fils avec une bonté un peu niaise.

« Comme tu voudras. Mais ne m'oblige pas à assister à tes spectacles. Je désapprouve ces jeux sanglants dont les Romains se repaissent comme des caniches. »

Commode se dirige vers la porte, et conclut :

« Un bon empereur doit savoir divertir ses sujets. Des jeux et du pain, le peuple ne demande rien d'autre. »

12

L'idole du Colisée

En attendant que se décide le sort des chrétiens, Toutilla s'est réfugiée dans les catacombes. Seule dans la
petite chapelle du Bon Pasteur, elle prie de toute son
âme :

« Seigneur, vois comme je suis triste et inquiète. J'ai
perdu le courage, ce courage que tu me donnais tous
les matins, pour surmonter les peines de chaque jour.
Maintenant j'ai peur. J'ai peur de tout. Pour mes
frères, pour moi, pour Gédémo. Où est-il ? Que lui
est-il arrivé ? »

Elle essaie vainement de chasser ses inquiétudes,
tandis que battent dans son cœur les grandes ailes
noires du chagrin.

« Seigneur Jésus, murmure-t-elle, toi qui as ramené la brebis égarée, toi qui as prodigué ta joie à Gédémo, maintenant protège-le. Pour son bonheur et pour le salut de mes frères, je te donne ma vie. »

Il lui semble entendre des pas qui résonnent dans les catacombes. Aussitôt elle s'élance dans le couloir en criant :

« Gédémo ! Gédémo ! Je suis là ! »

Le nom de Gédémo se répète en écho dans les voûtes souterraines et elle entend distinctement appeler :

« Toutilla ! Toutilla ! »

Elle soupire de joie : il est vivant, dans un instant ils se retrouveront. Déjà elle imagine son sourire victorieux, sa tignasse rousse, ses vêtements extravagants. Enfin une ombre apparaît sur le mur. Elle est suivie par le corps furtif et maladroit de Brennos. Toutilla se sent devenir aussi glacée qu'un hiver des Gaules.

Brennos se rapproche, un demi-sourire aux lèvres.

« Notre frère l'évêque m'a dit que tu priais dans les catacombes. Aussi je suis venu prier avec toi. »

Toutilla recule lentement pour chercher la protection du Christ portant sa brebis. C'est seulement lorsqu'elle se trouve au pied de la fresque qu'elle affronte son ennemi.

« Tu es un menteur. Tu n'es pas chrétien. »

Brennos plisse ses yeux rusés.

« Pourquoi dis-tu cela, sœur ? La grâce m'est tom-

bée sur la tête ce matin. Et maintenant je suis tout barbouillé de l'amour du crucifié.

— Comment peux-tu être aussi ignoble ? »

Brennos simule l'indignation :

« Tu oses juger ton frère ? Méchante sœur. Donne-moi plutôt un baiser de paix et je te pardonnerai. »

Toutilla se baisse pour ramasser sur le sol un de ces morceaux de pierre qui traînent lorsqu'on a creusé un tombeau.

Brennos se met à ricaner.

« Imbécile ! Tu n'espères pas être plus forte que moi ! Songes-tu que dans ces catacombes, je peux te battre à mort sans que personne t'entende ? »

Et il la saisit par le bras et l'entraîne de force dans le couloir jusqu'à une cavité récemment piochée dans la paroi.

« Je peux te tuer et te déposer dans ce lit d'éternité. Puis je le fermerai avec une dalle et personne ne saura plus rien de la nièce de Sacrovir. »

Toutilla retrouve son courage dans l'adversité.

« C'est en vain que tu essaies de me faire peur. »

Alors Brennos ricane à nouveau.

« J'ai d'autres moyens pour te faire peur. Sache que l'empereur vient d'écrire au légat de Lugdunum pour lui ordonner de mettre à mort tous les chrétiens. Sache aussi que Gédémo... »

L'esclave attend un moment pour jouir de l'inquiétude de son interlocutrice.

« Sache aussi que Gédémo, reprend-il, est condamné à mort pour atteinte à la loi sur la majesté du peuple romain. Et que le divin Marc Aurèle en a fait cadeau à son fils Commode, pour son école de gladiateurs. »

Brennos lâche enfin le poignet de Toutilla, respire profondément avant de conclure :

« Désormais tu pourras le voir au Colisée. Et quand je le verrai mourir, et que je te verrai souffrir, je serai vengé de ton indifférence. »

Et le jeune homme pousse quelques ricanements fous et s'enfuit.

Toutilla sent ses jambes devenir molles, sa tête se remplir de brumes. Les tombeaux étagés dans les murs commencent à tourner, à tourner de plus en plus vite, tandis qu'elle entend les ricanements de Brennos qui enflent démesurément et emplissent les catacombes d'un tumulte effrayant.

« Seigneur, aie pitié de moi », murmure-t-elle.

Puis, comme frappée par un éclair noir, Toutilla perd connaissance.

*

Lorsque, allongée sur un lit dans la maison de l'évêque, Toutilla se réveille après un sommeil lourd de cauchemars, elle voit le visage de Marcia penchée près d'elle. Elle a les yeux pleins de larmes et Toutilla comprend que Brennos n'a pas menti.

« Je n'ai rien pu faire, explique aussitôt Marcia consternée. Je n'ai rien pu faire contre le pouvoir d'Alexandre.

241

— Et Gédémo est gladiateur ? interroge Toutilla.

— Comment le sais-tu ? » s'étonne Marcia.

Toutilla ne répond rien et ferme les yeux pour réfléchir. Maintenant que les destins de ses frères et de son fiancé sont tracés, il lui reste à trouver le sien. Et plus elle songe, plus elle voit clairement que son destin est de suivre le même chemin que celui du Seigneur. Oui, l'heure est venue pour elle de souffrir pour son Dieu. Et cette pensée, qui la terrifiait quelques heures auparavant, lui paraît maintenant simple et raisonnable.

L'évêque entre dans la chambre en lui apportant un bol de lait et une pomme.

« Mange, tu en as besoin », dit-il.

Toutilla avale son repas de bon appétit, puis déclare :

« Je vais retourner à Lugdunum rejoindre mes frères.

— Sais-tu que vous serez envoyés dans l'amphithéâtre avec les lions ? demande l'évêque d'un ton calme.

— Je le sais, répond Toutilla. J'ai abandonné mes frères pour venir ici, afin qu'ils ne soient pas envoyés à la mort. Maintenant que je n'ai pas réussi à les sauver, je ne les laisserai pas mourir sans moi. »

Marcia intervient d'une voix altérée :

« Je viendrai avec toi. »

L'évêque l'interrompt d'un ton ferme :

« Tu resteras à Rome. Tu dois, comme chacun, faire

ton devoir là où le Seigneur t'a placée. Et ton devoir est sur le mont Palatin. Il est indispensable qu'il y ait des chrétiens dans l'entourage des empereurs pour protéger notre Église.

— Mais je n'ai su protéger ni Gédémo, ni nos frères de Lugdunum, constate Marcia en essuyant ses yeux.

— Tu seras utile une autre fois. Personne ne connaît les desseins du Seigneur », conclut l'évêque.

Progressivement la pièce se remplit de frères et de sœurs venus commenter les nouvelles du jour. Leurs visages expriment le chagrin et la peur. Chacun redoute que la reprise des persécutions dans les Gaules ne se propage dans tout l'empire. Certains se révoltent contre cette fatalité qui pèse sur les chrétiens et les envoie régulièrement à des morts ignominieuses. D'autres, découragés, pensent en secret que le règne de Dieu est bien long à venir s'établir sur la terre.

Sensible à l'abattement de ses fidèles, l'évêque de Rome les exhorte avec fermeté :

« Je sens une grande tristesse et une grande crainte dans vos cœurs. Pourtant, ne soyez ni tristes, ni effrayés. Car les souffrances que nous portons dans notre corps sont celles du Seigneur Jésus. Et ces souffrances sont notre gloire. C'est pourquoi lorsque nous sommes persécutés, nous ne sommes pas abandonnés, et lorsque nous sommes écrasés, nous ne sommes pas désespérés. »

Et, rayonnant de foi, l'évêque s'exclame :

« Que votre voix, mes frères, retentisse par toute la terre ! Car le jour est proche où nous serons revêtus des armes de lumière, où nous serons revêtus du Seigneur Jésus. Et la joie sera dans nos cœurs. »

*

À la tombée du jour, Marcia et Toutilla se promènent dans l'allée des cyprès.

« Quand repars-tu ? demande Marcia.

— Le jour de Vénus. Je m'en irai avec un frère, marchand d'épices, qui remonte sur Lugdunum. »

Soudain, Toutilla saisit la main de son amie.

« Je t'en supplie, Marcia, aide-moi à revoir Gédémo, une fois, avant de partir. »

Marcia hoche la tête tristement.

« C'est impossible. La discipline est très stricte dans les casernes de gladiateurs. Ils ne peuvent ni sortir en ville ni recevoir des amis. »

Toutilla reste un moment silencieuse, puis déclare :

« Si, plus tard, tu as l'occasion de lui parler, dis-lui que je l'aime pour toujours et qu'on se retrouvera dans l'éternité. »

Marcia, très émue, finit par suggérer :

« On peut essayer d'aller au Colisée. Gédémo y combat la veille de ton départ. Parfois, à la fin des jeux, la foule envahit l'arène pour parler avec les gladiateurs.

— Nous irons. »

C'est alors qu'avec des gémissements pitoyables, apparaît au bout de l'allée un bouledogue qui boite et tire la langue d'une manière lamentable.

« Caton ! » dit Toutilla en se précipitant vers le chien.

Caton a le pelage sale, couvert de plaques brunes où la boue se mélange avec le sang. Sur les cuisses, des traces de morsures, et sur le dos, des traces de fouet.

« Que t'est-il arrivé ? » murmure doucement Toutilla au bouledogue.

Pour toute réponse, Caton pose sa grosse tête sur l'épaule de Toutilla en poussant de petits aboiements tendres.

« Il a sans doute été volé, puis enfermé, suggère Marcia. Peut-être a-t-il essayé d'entrer dans la caserne des gladiateurs ?

— Pauvre Caton ! murmure Toutilla. Je le ramènerai à Lugdunum. Il y sera plus heureux. »

Puis elle ajoute avec mélancolie :

« Ici, il ne peut plus rien faire pour Gédémo. »

*

Le jour de Jupiter, alors que le soleil se lève à peine derrière l'Esquilin, la foule s'écrase déjà dans les ruelles qui conduisent au Colisée. Marcia et Toutilla ont le plus grand mal à avancer et bientôt ne peuvent plus faire un pas. Les passants sont tellement collés les uns contre les autres, que les chaises à porteurs et les litières restent suspendues en l'air. Toutilla s'inquiète :

« Crois-tu qu'on va pouvoir entrer ?

— Bien sûr, répond Marcia. Le Colisée est très grand. Il contient plus de cinquante mille spectateurs.

— Et nous n'arriverons pas trop tard pour voir Gédémo ?

— Mais non. Les jeux commencent par des combats d'animaux. Nous avons tout le temps nécessaire. »

Soudain, de la fenêtre du quatrième étage d'un immeuble, des enfants hurlent :

« Ils arrivent ! Ils arrivent ! »

La foule, comme un bloc compact, s'ébranle à nouveau. Toutilla et Marcia, poussées par la pression des corps, suivent ce courant humain. Elles arrivent enfin sur la place du Colisée que protège un cordon de gardes, et se faufilent habilement au premier rang. De là, elles peuvent facilement admirer la parade des gladiateurs.

Ceux-ci, en provenance du forum, débouchent par la voie sacrée. Ils sont assis sur des chars découverts, vêtus de manteaux pourpres brodés d'or. De tous côtés on leur jette des fleurs. Le défilé contourne la gigantesque statue d'or de Néron et se dirige lentement vers la porte d'entrée du Colisée.

Près de Toutilla, un jeune garçon assis sur les épaules de son père se passionne pour les combattants.

« Il y a un nouveau ! Un qui a les cheveux roux !

— Il paraît que c'est un condamné à mort, un Gaulois.

— Tu vas parier sur lui ? demande le fils.

— J'ai pas d'as à perdre. Personne ne sait ce qu'il vaut.

— Parie pour lui, Papa ! Tu dis toujours que les Gaulois sont les meilleurs gladiateurs ! »

Toutilla regarde s'avancer son fiancé, qui reste indifférent aux acclamations et aux fleurs et médite en silence. En vain elle lui fait des signes. Bientôt elle le voit descendre de son char et disparaître sous les arcades.

À nouveau la foule se pousse et se bouscule jusqu'à l'entrée de l'amphithéâtre. Sous les arcades du Colisée un gardien donne à Toutilla un jeton de terre cuite qu'elle regarde sans comprendre.

« Que signifient ces chiffres ? demande-t-elle.

— Porte 12, troisième étage des gradins, siège numéro 402 », grommelle l'homme.

Toutilla et Marcia suivent un couloir voûté couvert de stuc jusqu'à la porte 12, puis empruntent une suite de larges escaliers pour accéder aux gradins supérieurs de l'amphithéâtre. Une forte odeur de bêtes fauves les assaille dès leur entrée. Dans l'arène, les esclaves s'affairent pour égaliser le sol après le combat des animaux. Chacun cherche sa place dans l'amphithéâtre, où règne une grande agitation.

Au-dessus des deux amies, debout sur une terrasse, se tiennent les esclaves. Sur les gradins inférieurs sont installés les hommes. Enfin, près de l'arène, dans de larges fauteuils, s'étalent les magistrats de la ville.

Dès que Commode et sa suite s'installent dans la tribune de l'empereur, commence la présentation des gladiateurs. Un à un, vêtus de leurs manteaux brodés d'or, suivis par un esclave qui porte leurs armes, ils s'avancent devant Commode, tendent le bras droit et déclarent :

« Ave, César, ceux qui vont mourir te saluent ! »

Gédémo, le nouveau, salue en dernier. Toutilla ne le quitte pas des yeux. Sous le manteau que lui enlève un esclave, il porte la tenue du « mirmillon », gladiateur des Gaules : le casque fermé, décoré avec un poisson, le torse nu, les bras et les jambes protégés par une armure, un bouclier rond et un sabre recourbé. Aux motifs qui la décorent, Toutilla reconnaît que sa ceinture de cuir provient de l'atelier de Sacrovir, et ce détail, inexplicablement, la rassure. Maintenant on vérifie les armes, afin qu'elles soient suffisamment tranchantes, et on tire au sort les combattants. Gédémo passe en dernier.

*

Il fait de plus en plus chaud car l'air circule mal sous les larges vélums qui recouvrent le Colisée pour protéger les spectateurs du soleil. Les combats se succèdent, ponctués par les hurlements des combattants et les cris de la foule. Des civières emmènent les mourants hors de l'arène, tandis qu'on retourne en toute hâte le sable ensanglanté. Parfois, des esclaves déguisés en dieux des enfers viennent achever avec un maillet un gladiateur agonisant. Mais Toutilla ne remarque pas tout ce tumulte. Elle est plongée dans la supplication et la prière jusqu'à ce que le nom de Gédémo s'élève dans l'amphithéâtre.

Deux serviteurs dressent une large pancarte où est écrit son nom : Gédémo, afin de faire connaître au public le nouveau gladiateur gaulois. De-ci, de-là, quelques voix répètent son nom pour l'encourager.

L'adversaire de Gédémo est un rétiaire, gladiateur qui ne porte pas de casque, mais combat avec un large filet et un long trident. Tous deux se mettent l'un en face de l'autre au milieu de l'arène. Le silence retombe dans les gradins car chacun attend les exploits du nouveau venu. On entend seulement le vent claquer sourdement dans les vélums tendus au-dessus de l'amphithéâtre. Soudain éclate une musique terriblement cacophonique où se mêlent les trompettes, les flûtes et les cors. Alors deux esclaves s'avancent en portant sur leurs épaules une pancarte sur laquelle est écrit : « Commencez ».

Aussitôt le rétiaire s'avance lentement vers Gédémo, dressant son long trident, que brusquement il lance à toute force contre le jeune homme roux.

Gédémo, habitué à éviter les sangliers, esquive l'arme
de son adversaire avec une rapidité inattendue.

Le rétiaire va reprendre son trident. Changeant de
tactique, au lieu de lancer son arme, il la garde fermement à la main et se rue sur le jeune Gaulois. Gédémo
l'esquive à nouveau. Emporté par l'effort, le malheureux rétiaire, n'ayant pas atteint sa cible, est déporté
en avant, perd l'équilibre et tombe sur le sol. Sur les
gradins, on crie et applaudit. Toutefois Gédémo, au

lieu de mettre à profit la situation pour terrasser son adversaire, reste immobile, et attend que le rétiaire se relève.

Les spectateurs murmurent et s'étonnent. Que signifie la conduite de ce mirmillon qui ne profite pas de l'opportunité de tuer son adversaire ? Les conseils et les moqueries pleuvent aussitôt :

« Gédémo, tu dors ?

— Frappe-le ! Blesse-le ! Tue-le ! »

Toutilla se penche vers Marcia et murmure :

« Il ne veut pas le blesser. Il ne veut pas faire mourir un être humain.

— Alors c'est lui qui mourra », conclut rapidement Marcia.

À nouveau le rétiaire fait face à Gédémo. À nouveau il brandit son trident. Mais avant même qu'il ait avancé son bras, Gédémo se plaque sur le sol, roule jusqu'au gladiateur, lui saisit la jambe, le déséquilibre et le rejette à nouveau sur le sable. Puis il se redresse, sans le frapper davantage.

La foule, à son tour, s'époumone en félicitations pour son adresse et en invectives pour son indulgence. Un instructeur vient fouetter Gédémo avec une lanière de cuir pour l'obliger à être plus cruel. Puis les esclaves apportent une nouvelle pancarte portant l'ordre : « Continuez ».

Déconcerté, le rétiaire modifie sa stratégie. Sans l'attaquer, il tourne longtemps autour du mirmillon afin de lasser son attention et sa prudence. Puis, lorsqu'il croit que celui-ci relâche sa vigilance, il jette sur lui son filet pour l'emprisonner dans ses mailles. Ce que fait alors Gédémo stupéfie les milliers de spectateurs de l'amphithéâtre. Le jeune Gaulois attrape le filet au vol, le fait tourner en l'air plusieurs fois, et dans un élan remarquable de rapidité et de précision le relance au-dessus du rétiaire. Celui-ci, qui ne se croyait plus menacé, n'a pas le temps de réagir. En un instant, il se trouve recouvert par son propre filet, dépouillé de son trident et roulé sur le sol.

Pour ponctuer ce succès éclair, les musiciens arrêtent leurs sons peu mélodieux et la foule, enthousiasmée, suspend son souffle. Puis, une nouvelle fois, les cris de mort retentissent :

« Tue-le ! Achève-le ! Tue-le ! »

Alors le rétiaire, ligoté, couché dans l'arène, lève la main gauche pour demander sa grâce. À son tour, le mirmillon vainqueur dresse son pouce vers le ciel pour demander la grâce du vaincu. L'assistance, capricieuse et changeante, qui, un moment auparavant, réclamait la mise à mort, subjuguée et charmée par le nouveau gladiateur demande à son tour la clémence. Sur les gradins, des milliers de doigts se lèvent et des milliers de voix crient au fils de l'empereur :

« Renvoie-le ! Renvoie-le ! »

Commode, très satisfait de l'enthousiasme et du plaisir de son peuple, dresse son pouce impérial. Immédiatement les esclaves apportent la pancarte : « Tu es renvoyé ». L'orchestre entame un air endiablé. Les lions rugissent dans les caves aménagées sous l'arène. L'assistance trépigne.

Sur un signe de Commode, on apporte à Gédémo les plats d'argent chargés de pièces d'or qui récompensent tout vainqueur.

Toutilla se tourne vers Marcia :

« Vais-je bientôt pouvoir lui parler ?

— Essayons maintenant. »

Toutes deux se lèvent pour rejoindre les escaliers qui sont déjà remplis de monde. Mais lorsqu'elles arrivent en bas, elles tombent sur des milliers de spectateurs en délire qui se pressent pour toucher la nouvelle idole du Colisée. Les gardes essaient en vain d'interdire l'accès de l'arène où Gédémo fait le traditionnel tour de piste. Les jeunes filles enlèvent leurs couronnes, détachent leurs colliers pour les offrir au gladiateur. D'autres écrivent furtivement un mot d'amour. Les jeunes gens le hissent sur leurs épaules en scandant :

« Gédémo ! Gédémo ! Gédémo ! »

Toutilla, désespérée, se bat contre ce mur de dos, petits ou grands, larges ou minces, qui la sépare de son fiancé.

« Laissez-moi passer, laissez-moi passer », répète-t-elle, en essayant d'écarter les corps agglutinés.

Bientôt il n'y a plus que quelques rangées d'admirateurs à franchir. Enfin elle arrive au premier rang. Mais devant elle, l'arène est déserte. Au fond, sous l'arcade réservée aux gladiateurs, disparaît la silhouette de Gédémo protégé par quatre gardes. Derrière, la foule s'éclaircit. Les spectateurs s'éloignent sous les voûtes. Toutilla reste longtemps immobile au milieu de l'amphithéâtre, seule avec son chagrin.

« Hé ! là-bas, lui crie un garde, c'est pas la peine d'attendre, il ne reviendra plus. »

Suffoquée par les larmes qui se bousculent en tempête, Toutilla balbutie :

« Je ne le reverrai plus. Je ne le reverrai plus jamais. »

Et le garde dévisage, ahuri, cette gracieuse fille dont le corps tremble de sanglots.

*

À l'aube du jour de Vénus, une charrette chargée d'épices remonte la voie Appia. Le jour s'annonce splendide. Les passereaux sillonnent le ciel pâle en vols compliqués et bizarres, danses énigmatiques pour fêter la lumière du jour. Dans les jardins du Palatin les merles chantent à tue-tête. Les tuiles de bronze du temple de Jupiter Très Bon et Très Grand s'empourprent au soleil levant et le quadrige du père des dieux semble s'élancer dans les nuées.

Caton sommeille. Toutilla a le cœur lourd, aussi lourd que ce marbre qui recouvre les temples des dieux. La voie sacrée est encore silencieuse et le forum désert. Seule une petite fille, debout devant la basilique Julia, achève avec application un graffiti sur le mur.

En voyant arriver la carriole, elle s'enfuit brusquement, traverse la voie sacrée en effrayant les chevaux qui se cabrent pour l'éviter. Toutilla se penche vers la claire-voie, pour lire le message de la petite fille. Sur la pierre est maladroitement gravé : « Gédémo, je t'aime ».

13

La fête de Rome
et d'Auguste

La veille des calendes du mois d'Auguste, Sacrovir se hâte pour rejoindre son patron qui l'a fait appeler d'urgence. Les rues de Condate sont envahies par les familles et amis des envoyés des soixante cités des Gaules. Demain, ces députés se réuniront solennellement, pour exprimer leur satisfaction de l'administration romaine et suggérer quelques améliorations de détail.

Comme chaque année, la réunion du conseil de Lugdunum pour la fête de Rome et d'Auguste s'accompagne de divertissements dans l'amphithéâtre et d'une grande foire. Paysans, marchands, artisans, des Gaules mais aussi de nombreuses provinces de l'empire, sont venus pour écouler leurs marchandises. C'est un jour faste pour Sacrovir. Non seulement il vient de vendre ses produits jusque sur la côte lointaine de Malabar, mais il a acheté soixante veaux marins[1], ces animaux qui vivent dans la mer de Bretagne et dont le cuir est doux comme une tétine de truie. Sacrovir songe qu'on célèbre avec raison la divinité de l'empire et de l'empereur qui ont apporté tant de prospérité et de bienfaits aux querelleuses tribus gauloises.

Près de l'autel du temple de Rome et d'Auguste, le flamine surveille l'artisan qui écrit sur le socle de sa statue : Caius Julius Camulus, fils de Caius Julius Décimus, né à Lugdunum, grand prêtre du temple de Rome et d'Auguste en la quinzième année du règne de Marc Aurèle.

Dès qu'il aperçoit son affranchi, le visage du flamine s'éclaire :

« Je t'ai fait chercher pour t'annoncer moi-même une nouvelle admirable. »

Puis il toise son interlocuteur d'un air triomphant.

« Ne me fais pas languir, s'impatiente Sacrovir.

— La fête de Rome et d'Auguste s'accompagnera cette année d'un spectacle si prodigieux qu'il restera dans la mémoire des hommes.

— Des lions contre des éléphants, comme au Colisée ? » suggère l'affranchi.

---

1. Phoques.

Le flamine hoche la tête.

« Tu t'égares. Il n'y aura pas de combats d'animaux, ni de combats de gladiateurs dont les prix sont devenus exorbitants. »

Sacrovir fait une petite moue perplexe et avoue :

« Je ne devine pas où tu veux en venir.

— Ne peux-tu rien imaginer de plus beau ? » insiste le flamine.

Pour une fois Sacrovir reste muet.

Camulus, fort satisfait d'étonner son habile affranchi, annonce avec emphase :

« Un spectacle de chrétiens ! Nous aurons un spectacle de chrétiens ! Rare ! Nouveau ! Magnifique ! »

Et comme Sacrovir fronce les sourcils, Camulus précise :

« La poste vient d'apporter la réponse de l'empereur. Tous ceux qui s'avoueront chrétiens seront condamnés à la peine capitale.

— Et s'ils renient leur Dieu ? » demande Sacrovir qui ne paraît pas se réjouir de la nouvelle.

Le flamine prend l'air peiné.

« Ce serait dommage ! Une si belle fête ! »

Et, retrouvant sa bonne humeur, il ajoute :

« Il n'y a rien à craindre. Les chrétiens adorent mourir pour leur Dieu. D'ailleurs si tu veux mon avis, je trouve cette absence de mesure, ce fanatisme, du dernier ridicule. Mais qu'as-tu ? »

L'affranchi en effet ne partage pas l'enthousiasme de son patron.

« Je songe à ma nièce, explique-t-il d'un air sombre.

— Mais elle s'est enfuie depuis longtemps !

— Je le sais bien. Mais, à cause d'elle, je n'apprécie pas ces persécutions. »

Camulus hoche la tête, car pour la première fois, il ne comprend pas la réaction de son fidèle serviteur.

*

Sur le forum, à l'aube des calendes d'Auguste, le légat interroge une dernière fois les chrétiens. Il est pressé d'en finir. Il n'a jamais aimé ces interrogatoires. D'ailleurs maintenant que les ordres de l'empereur sont clairs et précis, et que les jeux doivent commencer le lendemain, la justice doit être vite rendue.

Le forum est à peine assez grand pour contenir, outre les habitants de la ville, les voyageurs de passage qui n'ont jamais vu pareil spectacle. Près du tribun attendent une quarantaine de chrétiens. Amaigris, épuisés, ils bougent gauchement leurs membres ankylosés par des semaines d'immobilité, et titubent sous l'effet de la lumière et du grand air. Sacrovir, qui ne peut s'empêcher de penser à Toutilla, les regarde avec pitié.

Les prisonniers sont partagés en deux groupes. Le premier comprend les chrétiens qui ont avoué leur foi lors du premier interrogatoire. Le jugement est rapide. Blandine s'avance la première :

« Es-tu chrétienne ? demande le légat.

— Je suis chrétienne.

— Alors tu affronteras les bêtes dans l'amphithéâtre. »

Ensuite s'avance Marcurus :

« Es-tu chrétien ?

— Je suis chrétien.

— Tu affronteras les bêtes dans l'amphithéâtre. »

Zénodore s'avance à son tour et déclare immédiatement :

« J'affronterai les bêtes dans l'amphithéâtre. »

Les voisins de Sacrovir s'intéressent davantage aux prisonniers du deuxième groupe qui rassemble les renégats. Ces malheureux chrétiens leur sont une bonne occasion de satisfaire cette passion du jeu si répandue dans l'empire.

« Je parie deux as, dit l'un, que Luna abjure sa religion.

— Et moi je parie quatre as qu'elle reconnaît son Dieu, rétorque un jeune homme. Par contre, pour Cornélius, je parie un sesterce qu'il renie. La dernière fois, la sueur lui coulait entre les jambes tant il avait peur. »

Une petite femme curieuse remarque :

« Je ne vois pas le foulon. Il doit être mort. Leur évêque aussi.

— Et la petite, la nièce de Sacrovir ? demande un esclave.

— Elle s'est échappée pour aller à Rome, explique le jeune homme. On dit que c'était pour sauver ses frères. »

Le premier homme éclate de rire :

« Elle est maligne, la coquine. Elle n'a pas sauvé ses frères, mais elle s'est sauvée elle-même. C'est bien la nièce de son oncle ! »

Sacrovir s'apprête à saisir l'homme par le col pour lui faire ravaler ses paroles, lorsque celui-ci s'écrie :

« Mais, par Jupiter, n'est-ce pas elle que je vois là-bas ? »

Sacrovir découvre à son tour, s'avançant lentement vers l'estrade, sa nièce Toutilla. Elle sourit aux chrétiens rassemblés près du tribun, elle sourit avec l'air heureux, soulagé et confiant, de celui qui retrouve sa famille après un long voyage.

À quelques pas du légat, elle fait un signe de la main à la première renégate qui s'avance : Luna. Le visage de la serveuse du Coq est maintenant couvert de vilaines petites croûtes, mais ses yeux restent doux et beaux.

« Es-tu chrétienne ? » demande le légat.

Luna ne regarde pas le gouverneur, mais Toutilla qui ne la quitte pas des yeux, comme si elle voulait lui transmettre du courage à distance.

« Je suis chrétienne », répond Luna avec fierté.

Ensuite s'avance Cornélius, qui, à son tour, sourit à leur sœur revenue de Rome.

« Je suis chrétien, déclare-t-il sans attendre la question du gouverneur. Je ne crains pas les bêtes sauvages, car mon corps, en se répandant dans leurs entrailles, se transformera en corps du Christ. »

Lorsque tous les chrétiens ont été interrogés, Toutilla s'approche tranquillement du gouverneur.

« Je suis chrétienne, dit-elle. Tu peux me livrer aux bêtes dans l'amphithéâtre. »

Et Sacrovir sent son cœur se briser dans sa poitrine.

*

Lorsque la foule s'est dispersée, Sacrovir quitte à son tour le forum. Sur la terrasse qui domine la ville il reste un moment à contempler la ligne onduleuse que les collines dessinent sur l'horizon. À ses pieds, la Saône et le Rhône se rejoignent en une longue et douce étreinte. Tout autour de la cité, les immenses forêts font chanter dans la lumière le tapis de leurs feuilles aux verts innombrables et changeants. Sacrovir songe à la parfaite beauté de cette terre qui l'entoure, à son harmonie paisible et douce. Pourquoi, alors, tout ce tumulte dans l'empire ? Pourquoi sa nièce, si douce et si joyeuse, doit-elle être livrée aux lions ? Et le chagrin lui faisant perdre l'esprit, il lève son poing vers les dieux et s'écrie :

« Ne pouvez-vous donc pas régler vos affaires entre

vous ? Pourquoi avez-vous besoin que les hommes s'entre-tuent sur la terre pour assurer votre victoire dans le ciel ? Pourquoi doivent-ils mourir pour votre bon plaisir ?

— Qu'oses-tu dire, Sacrovir ? s'inquiète Bibulia, qui, à la suite d'un mauvais pressentiment, cherchait partout son mari. Par quelle audace prétends-tu juger les impénétrables desseins des dieux ? »

Et prenant la large main du fabricant de cuir elle tente de le consoler :

« As-tu oublié que mes songes signifient que Toutilla est aimée des dieux ? Qu'elle entrera dans une grande gloire ? »

Sacrovir hoche la tête, maugréant contre ces problèmes trop difficiles à résoudre. Et tiré par son épouse, il descend la falaise en balançant lourdement sa massive silhouette.

*

Le lendemain, il fait un temps magnifique pour le spectacle de l'amphithéâtre. On y craint même la chaleur car aucun vélum ne protège des rayons du soleil. Pour imiter les somptueux décors du Colisée, le flamine a fait construire dans l'arène une colline artificielle, où coule une étroite rivière entre des rochers et des arbustes.

On se bouscule sur les gradins pour profiter de ce divertissement très rare qu'est le martyre des chrétiens. Dans la tribune au nord de l'arène, s'installent le légat et les hauts fonctionnaires impériaux. Dans la tribune du sud, le flamine et des délégués des plus importantes cités gauloises.

Le spectacle commence par quatre chrétiens tirés au sort : Zénodore, le diacre, Luna et Toutilla. Pour rendre les épreuves plus passionnantes, on installe les deux filles sur le bord de l'arène, afin qu'elles assistent aux souffrances de leurs compagnons. On espère ainsi qu'effrayées par les supplices, elles renient leur foi et jurent par Jupiter. Les paris sont ouverts.

Toutilla ne souffre plus de la désespérante tristesse, des chagrins foudroyants, qu'elle connaissait à Rome. Elle a renoncé à l'amour de Gédémo sur cette terre et l'a confié au Christ. Elle a renoncé aux charmes et aux plaisirs de la vie humaine. Elle a accepté que son destin soit de mourir martyre pour témoigner de la puissance et de l'amour du Dieu des chrétiens. D'ailleurs elle ne craint plus rien, car le Seigneur lui a redonné le courage et la flamme de joie.

« Quand tu voudras jurer, tu lèveras ta main », explique un garde à Luna.

Puis, lorsqu'il rencontre le regard rayonnant de Toutilla, il baisse les yeux en grommelant :

« Crève, païenne. »

Dès que le garde s'est éloigné, Luna avoue :

« J'ai peur, j'ai tellement peur.

— Peur de quoi ? demande Toutilla. Depuis deux

mois déjà tu souffres en prison. Ce n'est qu'une épreuve de plus. Tu as été très courageuse.

— Tu ne comprends pas, reprend Luna très agitée. C'est lorsque je pense à la souffrance, ou lorsque je la vois que la peur me glace le sang.

— Tu n'as qu'à ne pas y penser et à fermer les yeux pour ne rien voir. Je t'aiderai », dit Toutilla en lui prenant la main.

À ce moment, deux lions entrent dans l'arène tandis que par une autre porte Zénodore et le diacre s'avancent à leur tour. Luna se met à trembler.

« Ferme les yeux, lui répète Toutilla, et écoute-moi.

N'écoute que moi. Ne pense à rien d'autre qu'à mes paroles. »

Et serrant fort la main de son amie, elle dit :

« Souviens-toi du mont du Golgotha. Il faisait chaud comme aujourd'hui. Et avec une couronne d'épines qui blessait son front, et des coups de verges qui blessaient son dos, le Christ portait une lourde croix. Tout ce fardeau sur ses épaules, tout ce sang qu'il perdait, c'était pour nous, Luna, pour qu'au moment de souffrir nous n'ayons pas de mal, car il a pris sur lui toute la souffrance du monde.

— J'entends des lions rugir, interrompt Luna d'une voix blanche. Dis-moi ce qu'ils font.

— Ils roulent Zénodore et le diacre par terre. Nos frères prient tout bas, ils parlent sans arrêt avec le Christ comme si les lions n'existaient pas.

— Parle-moi encore du mont du Golgotha.

— Quand il est monté sur la croix, notre Seigneur s'est senti très seul, abandonné par ses amis, abandonné par Dieu lui-même. Alors, de désespoir, il s'est mis à crier : "Père, pourquoi m'as-tu abandonné ?" Mais depuis ce cri, Luna, nous ne sommes plus jamais seuls. Nous avons des frères sans cesse autour de nous, et surtout nous avons le Seigneur qui ne nous quitte jamais. Songe, Luna, à ces preuves que Dieu nous aime, et prie. »

Luna se met à prier un moment en silence, puis s'exclame :

« Je sens une curieuse odeur. Qu'est-ce que c'est ?

— C'est à cause de la chaise de fer rougie au feu. Mais nos frères sourient, ils sourient de joie.

— Alors pourquoi crient-ils ? s'affole la serveuse du Coq.

— Ils viennent de mourir. On les a tués avec le glaive. Ils montent vers le Seigneur. Imagine leur bonheur qui bientôt sera le nôtre. Oh ! Luna, comme nous sommes heureuses, comme nous avons de la chance de mourir. »

Luna ouvre les yeux. Devant elle des esclaves emportent les corps déchirés de Zénodore et du diacre. D'autres retournent le sable.

Un garde s'approche des deux amies et demande :
« Abjurez-vous votre foi ? »

Sacrovir, qui ne peut supporter de voir souffrir sa nièce, hurle :
« Jure, par Jupiter ! Jure ! »

Toutilla lève ses yeux vers les gradins et déclare :
« Nous ne faisons rien de mal. Nous aimons un Dieu d'amour.

— Je suis chrétienne », ajoute faiblement Luna.

Maintenant Toutilla et Luna font le tour de l'arène. Des dresseurs de fauves, au rythme de la musique, les frappent avec des fouets terminés par des boules de plomb. Les deux chrétiennes avancent en priant. De temps en temps, Toutilla se retourne pour encourager Luna d'un sourire. Mais celle-ci, décidée à ne rien voir, marche la tête baissée. À nouveau Toutilla voit le fouet s'abattre sur la servante du Coq. Épuisée par deux mois de prison, Luna chancelle. En tombant, sa tête heurte violemment une pierre.

« Relève-la ! crie-t-on sur les gradins. Aux lions, la chrétienne, aux lions ! »

Un esclave s'approche de la jeune fille et déclare au légat :

« Elle est morte. »

La foule murmure sa déception devant une fin aussi rapide.

« Merci, Seigneur, d'avoir eu pitié d'elle, murmure Toutilla, merci de l'avoir si vite emmenée près de toi. »

Maintenant qu'elle n'a plus à s'occuper de son amie et qu'elle a fait ses adieux secrets aux êtres qu'elle aime, Toutilla ne s'adresse plus qu'à son Seigneur. La flamme de joie brûle dans son cœur. Elle marche, rayonnante, vers le Christ ressuscité, comme si elle foulait un chemin de pétales de roses, vêtue d'une robe brodée d'or, émue et impatiente d'entrer dans la vie éternelle.

Tout entière abandonnée à la vision du Seigneur trônant dans le ciel, emplie de la bonne odeur du Christ et de la douce brûlure de l'Esprit Saint, Toutilla ne prête pas attention aux lions qui la traînent dans l'arène. Elle ne fait pas attention non plus à sa peau qui brûle sur le gril. Elle n'entend pas les cris de haine et de surprise qui accompagnent son incroyable résistance à la souffrance. Tout au plus remarque-t-elle qu'enfermée dans un large filet de chasse, elle est envoyée en l'air, comme une balle légère qui retombe sur les cornes d'un taureau, jusqu'à ce que le froid d'une lame sur sa gorge lui tranche la vie.

*

À Rome, dans l'arène du Colisée, Gédémo vient de jeter à terre son adversaire. Les spectateurs trépignent d'enthousiasme. Le gladiateur s'incline et salue lorsqu'une horrible vision, celle qu'il a déjà connue lors d'une chasse au sanglier, s'impose à son esprit : Toutilla, enfermée dans un filet de chasse, virevolte dans les airs, renvoyée sans fin par les cornes d'un taureau. Gédémo se souvient que la première vision lui était apparue le jour où Toutilla fut arrêtée. Nul doute qu'aujourd'hui elle ne soit en grand danger.

Dans l'amphithéâtre, les musiciens entament une cacophonie triomphante et les serviteurs apportent au vainqueur les plats d'argent remplis de pièces d'or. Sans y toucher, Gédémo se tourne vers Commode :

« Je ne veux pas de cet or. Qu'on le distribue à tous les gladiateurs qui ont combattu aujourd'hui. »

Dans la tribune impériale, tendue de rideaux rouges, on s'étonne et on se répand en conciliabules. Enfin Commode se penche vers cet audacieux mirmillon.

« Ne veux-tu donc aucune récompense pour ta victoire ? »

Gédémo réfléchit un moment. Les musiciens reposent leurs instruments et un silence inhabituel tombe sur le Colisée. Enfin le célèbre gladiateur répond d'une voix bouleversée :

« Puisque tu me permets d'abuser de la patience de César et d'oser affronter sa colère, sache qu'en ce moment, loin de moi, une amie qui m'est très chère est menacée de graves périls. Aussi je te demande, ô César, de me rendre la liberté pour que j'aille la délivrer. »

Commode a un geste d'agacement. Mais le peuple de Rome, ému par l'histoire d'amour de son idole, hurle de tous côtés :

« Donne-lui l'épée ! Donne-lui l'épée ! »

Commode songe que ce mirmillon est en train de devenir trop célèbre et que cette célébrité lui porte ombrage. Il a donc tout intérêt à faire plaisir au peuple. Aussi il lève le bras vers la foule pour lui signifier qu'il tient compte de sa demande, puis il saisit l'épée de bois qui symbolise la libération d'un gladiateur et la tend à Gédémo. Celui-ci s'incline en disant :

« Je te remercie pour ta clémence, très sage Commode, cette clémence qui, autant que les armes, a fait la puissance de Rome. »

Et sans attendre que ses admiratrices viennent lui apporter leurs bijoux, leurs mots d'amour, leurs couronnes de fleurs et leurs yeux émus, il se précipite vers la salle des gladiateurs.

*

Lorsque Gédémo arrive à Lugdunum, la fête de Rome et d'Auguste est terminée. Les derniers délégués et les derniers marchands s'éloignent dans leurs carrioles élégantes ou dans leurs lourds chariots. Dans les rues traînent les restes des sacrifices, de la foire, des festins.

À Condate, entre l'amphithéâtre et le Rhône, sur un terrain vague, pourrissent les corps des chrétiens. Un enclos de bois les protège des chiens mais n'empêche pas les corbeaux et les vautours de tourbillonner au-dessus du charnier dans un grand vacarme d'ailes.

Devant la porte de l'enclos, les deux « fouines » aident les gardes à empêcher que l'on dérobe les cadavres pour les ensevelir.

« Par les dieux immortels, s'exclame l'un, regarde qui vient nous rendre visite. »

La petite « fouine » découvre à son tour le fils du flamine, qui l'avait bien malmené un soir, dans le chemin des saules.

« Si tu viens pour protéger cette chienne, la nièce de Sacrovir, tu arrives trop tard, cette fois-ci. Mais tu peux la trouver là. »

Gédémo regarde, de l'autre côté de la palissade, les corps des chrétiens. Déchiquetés, coupés en morceaux, en partie décomposés, ils sont méconnaissables. Se tournant vers les gardes, il demande :

« Pourquoi les laisse-t-on sans sépulture ?

— Pour voir si leur Dieu viendra les ressusciter.

— Les malheureux, constate un autre, dire qu'ils croyaient que leur Dieu les aimait. Tu parles d'une résurrection dans la gloire ! »

Gédémo est trop bouleversé pour répondre. Il vient de découvrir, tout près de lui, une petite main gauche qui porte à l'annulaire une cordelette de laine bleue.

« Seigneur, pardonne-leur », murmure-t-il.

Sur une butte, à quelques pas de là, Gédémo reste longtemps en prière. Au crépuscule, les gardes sont relevés par d'autres gardes. Un peu plus tard, une main se pose sur son épaule.

« Tu es revenu, mon enfant, dit Sélané.

— Trop tard, murmure le garçon. Je n'ai pu ni la sauver ni mourir avec elle. »

Sélané parle avec une douce tristesse :

« Toutes les nuits je viens prier ici. D'autres frères viennent aussi. Il y a beaucoup de nouveaux chrétiens à Lugdunum. Ils se sont fait baptiser après avoir vu les martyrs. C'était un si grand mystère que leur courage et leur joie. »

Après un moment de silence, elle ajoute :

« Nous avons un nouvel évêque qui s'appelle Irénée. Tu le rencontreras au prochain repas du Seigneur. Il a lieu dans ma maison.

— Je ne veux pas rester à Lugdunum, répond Gédémo. Je retournerai à Rome. »

Puis vaincu par le chagrin, il pose sa tête sur l'épaule de sa mère et sanglote comme un petit enfant.

« Pleure, mon fils, pleure », murmure Sélané.

*

Lorsque la nuit est tombée, les gardes démolissent les barrières de l'enclos pour en faire un bûcher. Dans les hautes flammes qui illuminent l'ombre ils jettent les corps des chrétiens.

Quelques heures plus tard, ils amènent de grandes jattes de terre cuite qu'ils remplissent des cendres encore chaudes. Puis, pressés d'effacer toute trace des fidèles du Christ, ils emportent ces jattes sur la falaise proche et les renversent au-dessus du Rhône. Dans les rayons de lune, les cendres, comme des papillons d'argent, virevoltent lentement sous la brise nocturne, s'éparpillent sur le fleuve, puis s'enfoncent et disparaissent dans son eau brillante et noire.

Épilogue

Quelques années plus tard, sur le forum romain, Sacrovir offre à la statue de Marsyas au bonnet d'affranchi un gâteau de miel et une couronne de fleurs, pour le remercier de l'anneau d'or qui brille à sa main gauche. Puis, en attendant son patron qui vient d'être nommé sénateur, il admire encore une fois tous ces temples de marbre qui font de Rome, la Ville des villes, la Reine de l'Univers.

Le soleil est haut dans le ciel lorsque les sénateurs sortent de la Curie. Caius Julius Camulus est aussi rayonnant que ses bottines rouges et que la large bande pourpre de sa toge sénatoriale.

« Maintenant, annonce-t-il avec fierté, je peux accéder aux plus hauts postes de l'État. »

Puis, frappé d'une préoccupation soudaine, il ajoute :

« Qu'as-tu appris au sujet de mon fils et des chrétiens ? »

Sacrovir lève le bras dans un grand geste d'avocat :

« J'ai appris beaucoup de choses en jouant aux dés dans les tavernes toute la matinée. Et ces choses, les voici : d'abord que mon ancien esclave, Brennos, après la mort d'Alexandre, a été assassiné dans une ruelle et jeté dans la fosse commune. Ensuite que l'empereur Commode est d'une cruauté abominable, mais il ne persécute pas les chrétiens. On dit que c'est sous l'influence d'une jeune femme, Marcia, qui demeure au palais.

— Et mon fils ?

— Ton fils est diacre de l'Église de Rome et demeure sur une hauteur appelée Vatican.

— Je n'en ai jamais entendu parler.

— Il paraît que c'est de l'autre côté du Tibre, dans un quartier peu fréquenté.

— Allons-y immédiatement », s'écrie le nouveau sénateur en faisant signe à des porteurs syriens d'avancer sa litière.

De l'autre côté du Tibre, près du Mausolée d'Hadrien, s'étendent en désordre des maisons basses et pauvres. Des enfants jouent dans les terrains vagues.

La litière avance au hasard, ne sachant exactement où se diriger. Sacrovir, qui examine attentivement les environs, remarque un enfant exposé sur le bord du chemin, qui ne cesse de crier. C'est alors qu'un boule-dogue, qu'il hésite un moment à reconnaître, s'approche du bébé et le saisit dans sa gueule avec déli-catesse.

« Suivez ce chien », ordonne l'affranchi aux Syriens.

Et tout excité, il explique à Camulus :

« J'ai vu Caton. Il ne chasse plus les sangliers mais les bébés.

— Que racontes-tu d'insensé ?

— Le chien de ton fils s'est transformé en nour-rice ! » s'exclame-t-il en se tapant la main sur la cuisse.

Le lieu dit Vatican est peu habité. Quelques petites maisons éloignées les unes des autres, quelques tom-beaux. Caton pénètre dans une cabane de bois pour déposer son précieux fardeau.

« C'est ici, dit Sacrovir.

— Dans cette masure ! » grimace Camulus.

La cabane est vide, hormis deux bébés qui pleurent. Derrière s'étend un jardin qui se prolonge par une col-line. Sur la pente, une centaine de personnes écoutent un jeune homme dont les cheveux roux flambent au soleil.

« C'est lui ! C'est Gédémo ! » murmure le flamine très ému.

Tous deux s'avancent vers le lieu de la réunion.

Bientôt la voix chaude de l'orateur parvient à leurs oreilles :

« Ici, au lieu même où a été enterré l'apôtre Pierre, le premier évêque de Rome, nous construirons une église. Et cette église rayonnera jusqu'aux confins de l'univers pour que tous entendent la parole de Dieu. Et les pierres de cette église se dresseront pour rappeler dans les siècles des siècles le sang des persécutés. Oui, pour toujours, elles témoigneront de ceux, martyrs d'Afrique, martyrs de Rome, martyrs de Lugdunum, dont la petite lumière dans les yeux était le miroir de la grande lumière de Dieu. »

Caius Julius Camulus est transporté d'enthousiasme.

« Son éloquence est admirable ! Quel charme ! Quelle musique ! Quelle conviction !

— Par Hercule, remarque Sacrovir, ce Dieu des chrétiens doit être bien puissant pour lui avoir donné l'art des orateurs. »

La voix passionnée de Gédémo se fait à nouveau entendre :

« J'ai vu le monde renversé. J'ai vu dans le ciel les plus humbles près du Seigneur et les plus puissants au dernier rang. J'ai vu sur la terre les temples de marbre s'effondrer, les statues se renverser, les dieux imaginaires se précipiter dans l'abîme. Oui, frères, j'ai vu s'effondrer l'empire de Rome, car toutes les puissances de ce monde passeront, et seules les paroles du Christ ne passeront pas. »

Le nouveau sénateur pâlit en entendant son fils.

« Quelle audace insensée et effrayante, murmure-t-il. Plutôt que de l'entendre dire ces monumentales sornettes j'aurais préféré qu'il restât gladiateur ! »

Notes

Les mesures de temps
à l'époque romaine

Les années *se comptent à partir de la fondation de Rome : 753 avant Jésus-Christ.*

L'année est divisée en douze mois. Le premier jour du mois s'appelle les « calendes », le septième, les « nones », le quinzième, les « ides ».

Exemple : le 1er mai : les calendes de mai, le 15 mai : les ides de mai.

À partir de ces dates, on compte à rebours : le troisième jour avant les ides de mars, le douzième jour avant les calendes d'Auguste.

La semaine se divise en sept jours : jour du Soleil (dimanche), de la Lune (lundi), de Mars (mardi), de Mercure (mercredi), de Jupiter (jeudi), de Vénus (vendredi) et de Saturne (samedi).

Les heures : *la journée comprend 24 heures : 12 heures de jour, 12 heures de nuit ; les heures de jour sont plus longues l'été et plus courtes l'hiver.*

Par exemple, la première heure, en été, se situe entre 4 heures 30 et 5 heures 30, alors qu'en hiver, elle se situe entre 7 heures 30 et 8 heures 15.

En hiver, comme en été, la septième heure commence à midi.

Les mesures de longueur

Le mille romain correspond à mille pas : 1 572 m.
Le pas : 1,572 m.

Esclaves et affranchis

L'esclave : *(prisonnier, enfant d'esclave, enfant exposé) appartient à son maître. Il fait les travaux de la maison et des champs. Il travaille dans les mines. Il ne reçoit aucun salaire et peut être acheté et vendu.*

L'affranchi : *ancien esclave libéré par son maître. Cette libération n'est pas totale, car l'affranchi doit à son* ancien maître, devenu son « patron », le respect, l'obéissance et l'obligation de lui rendre certains services. C'est seulement à la troisième génération que les enfants d'affranchis ont toutes les prérogatives des citoyens libres.

Les affranchis : *prennent le prénom et le nom de leur patron et gardent leur surnom. Par exemple : Caius Julius Sacrovir.*

ODILE WEULERSSE

Odile Weulersse, née à Neuilly-sur-Seine, est
à vingt ans diplômée de l'Institut des sciences
politiques, puis agrégée de philosophie en
1969. D'autres intérêts encore la sollicitent :
à l'Université de Paris IV-Sorbonne où elle
devient maître de conférences, elle enseigne
le cinéma. Elle écrit aussi des scénarios pour
la télévision. Enfin, quand elle se fait roman-
cière pour conter aux enfants les aventures
du passé, c'est sur une documentation sans
faille qu'elle bâtit son récit, plein de vie, évo-
cateur comme un film.

TABLE

Si vous avez aimé ce titre, vous aimerez aussi dans la collection Le Livre de Poche Jeunesse :

Les Cinq Écus de Bretagne
Évelyne Brisou-Pellen
Rennes, à la fin du XVe siècle. Guillemette doit se réfugier chez son grand-père. Or, celui-ci se comporte bizarrement : il veut absolument qu'elle change de nom...
10 ans et +
N°453

Les portes de Vannes
Évelyne Brisou-Pellen
Guillemette, qui a grandi, apprend qu'Estienne, l'ex-apprenti des Cinq Écus de Bretagne, est en danger. Elle n'hésite pas à partir à sa recherche.
10 ans et +
N°475

Deux graines de cacao
Évelyne Brisou-Pellen
Bretagne, 1819. Julien s'embarque sur un navire marchand à la recherche de son histoire car il vient de découvrir qu'il a été adopté. Or, le bateau dissimule un commerce d'esclaves, illégal depuis peu...
10 ans et +
N°748

Les derniers jours de Pompéi
Edward Bulwer-Lytton
La tragédie du 24 août 79 après J.-C., de l'éruption du Vésuve, raconté avec une formidable proximité.
12 ans et +
N°1102

Le Roman du Masque de fer
D'après Alexandre Dumas
L'intrigue du masque de fer extraite du *Vicomte de Bragelonne* est donnée à lire comme un petit roman autonome.
Louis XIV a-t-il eu un frère jumeau tenu prisonnier 36 ans sous un masque de fer ? Entre l'Histoire et la légende, le prisonnier masqué a pris de multiples visages.
12 ans et +
N° 1137

Le faucon déniché
Jean-Côme Noguès
Pour garder le faucon qu'il a recueilli, Martin, fils de bûcheron, tient tête au seigneur du château. Car à cette époque, l'oiseau de chasse est un privilège interdit aux manants.
11 ans et +
N°60

Quo vadis ?
Henryk Sienkiewicz
Traduit du polonais par B. Kozakiewicz et J.L. de Janasz
Rome au temps de Néron. La fascinante Lygie, fille d'un roi barbare, disparaît mystérieusement. Un jeune patricien part aussitôt à sa recherche et découvre qu'elle est chrétienne. Vicinius décide de se joindre à cette secte interdite pour sauver celle qu'il aime.
11 ans et +
N°1119

L'Aigle de Mexico
Odile Weulersse
1517 : à Mexico, l'arrivée des soldats espagnols fait basculer la vie de Totomitl et Pantli, et celle de tous les Aztèques.
11 ans et +
N°372

L'Arlequin de Venise
Odile Weulersse
Au XVIIIᵉ siècle pendant le carnaval de Venise, une jeune noble de quinze ans qui vient de sortir du couvent ne songe qu'à se divertir.
11 ans et +
N°494

Le cavalier de Bagdad
Odile Weulersse
Dans la caravane qui va de La Mecque à Bagdad, Tahir rêve de gloire :
il porte au calife un rubis très précieux qui lui a été confié par son père.
Il va, sans le savoir, au-devant de la violence.
11 ans et +
N°262

Le chevalier au bouclier vert
Odile Weulersse
Un chevalier très pauvre est amoureux de la fille du comte de Blois. La
sœur de celle-ci s'oppose à cette union.
11 ans et +
N°320

Le messager d'Athènes
Odile Weulersse
Les folles aventures de Timoklès et de Chrysilla, en Grèce et en Perse,
à la recherche du "trésor des Athéniens". Naufrage, intrigues et pirates
garantis !
11 ans et +
N°194

Les pilleurs de sarcophages
Odile Weulersse
Pour sauver son pays, Tetiki l'Égyptien doit mettre un trésor à l'abri des
voleurs. Avec l'aide d'un nain danseur et d'un singe redoutablement
malin, il défie les espions, le désert et la mort.
11 ans et +
N°191

Le secret du papyrus
Odile Weulersse
Une nouvelle et périlleuse mission attend les trois héros des "Pilleurs de
sarcophages", chargés cette fois de rapporter une fameuse pierre bleue
à Pharaon.
11 ans et +
N°665

L'affaire Caïus
Henry Winterfeld
Traduit de l'allemand par Olivier Séchan
Dans la Rome impériale, Caïus est victime de la moquerie de ses cama-
rades. Mais l'affaire prend de l'ampleur...
10 ans et +
N°1101

Caïus et le gladiateur
Henry Winterfeld
Traduit de l'allemand par Jean Esch
Caïus et ses camarades ne pensaient pas à mal faire en offrant un esclave
à leur maître. Mais l'esclave en question est recherché par des individus
fort louches...
10 ans et +
N°1115

Composition Jouve - 53100 Mayenne
N° : 294766n
Imprimé par CAYFOSA QUEBECOR à Barcelone (Espagne)
Dépôt éditeur n° 86348
32.10.1884.9/09 - ISBN : 978-2-01-321884-9
Loi n° 49-956 du 16 juillet 1949 sur les publications destinées à la jeunesse
Dépôt légal : avril 2007